「メイド・イン・イタリー」はなぜ強いのか？

世界を魅了する〈意味〉の戦略的デザイン

安西洋之（あんざいひろゆき）

晶文社

装丁：鈴木千佳子

「メイド・イン・イタリー」はなぜ強いのか？

目次

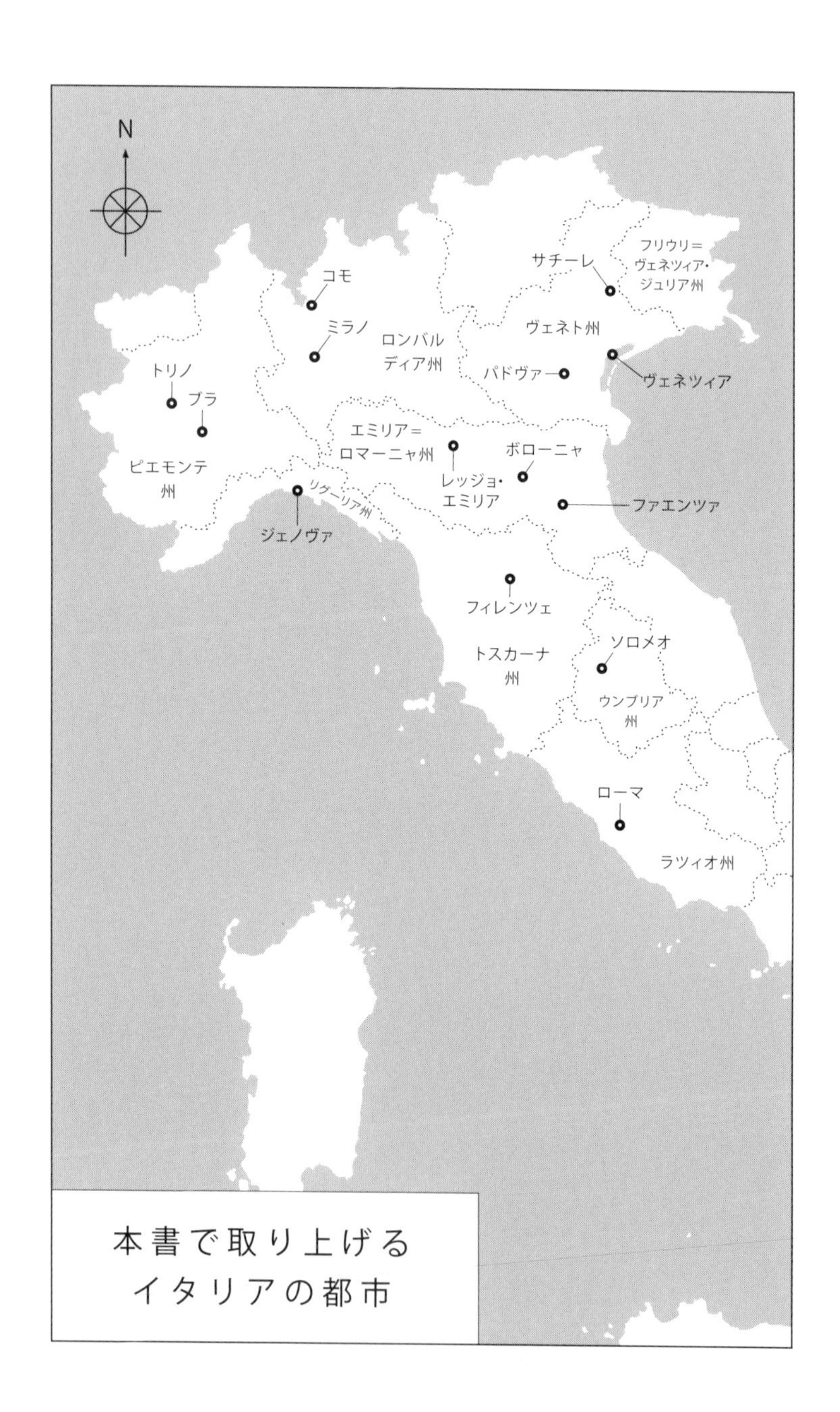

本書で取り上げる
イタリアの都市

序　章

意味を問う「メイド・イン・イタリー」

世界のトップブランドとしての「メイド・イン・イタリー」

「メイド・イン・イタリー」という言葉には、年齢層やこれまでの生活経験により、それぞれ違ったイメージを抱くのではないだろうか。

高級車から革製品、ファッションに至るまで、ラグジュアリーブランドを真っ先に思い浮かべる人。創造力あふれる職人が作る本物があると熱く語る人。デザインレベルが高く、かつては魅力的だったが、衰退に向かっていると冷めた目を向ける人。

「メイド・イン・イタリー」を日本のかつてのバブル経済期にもてはやされたあだ花、と考えている人も少なくないだろう。バブル経済を大

学生以上の年齢で経験した方かもしれない。たしかに、一九八〇年代後半は、カルボナーラやティラミスといったイタリア料理、アルマーニやヴェルサーチェといったファッションブランドが、日本で大流行した時代だ。ただし、これは日本に限った現象ではなかった。イタリア貿易振興会がニューヨークで初めてパスタのイベントを開催し、「イタリア人のようにアルデンテにしなくてもいいのですよ」とローカライズを促進したのも、一九八〇年代の半ばである。「メイド・イン・イタリー」が各国で目立ちはじめた時なのだ。

バブル期のイタリア熱は、私の記憶にも深く残っている。「非合理」なものに目を向けることが贅沢の証だった。「イタリアの家具には機能を求めない、それがイタリア通」と語り、アルファロメオやランチアに乗り、故障で苦労しても「不具合なんか当たり前、それを楽しむのがイタリア通」だとうそぶく。

だが、一九九一年のバブル崩壊を境に、日本社会からそうした心の余裕が失われていく。その後、大手金融機関の廃業や破綻が続き、二〇〇一年九月一一日の米国テロ事件以降、社会の空気も一変した。冷戦終息やＩＴの進化により達成されるであろう、果てしなきボーダレスへの期待感が一瞬にして萎んだ。数年して追い打ちをかけるように起きた二〇〇八年のリーマンショックは、日本企業にとって、先進国である欧州・米国依存のそれまでのビジネス構造を根本的に見直す大きなきっかけともなった。

並行して世界における欧州文化・経済の相対的な地位が低下し、サステナビリティ（持続性）への関心の高まりもあり、欧州ラグジュアリーブランドへの憧れの低下が盛んに語られるようになる。「服や装飾品にたくさんのお金をかけるなんてダサい」と。そうした雰囲気のなか、「メイド・イン・イタリー」にたいして憧れを持つことはおろか、語られることもいつしかなくなっていった。しかし、日本の風景のなかで本当に「メイド・イン・イタリー」はなくなったのか。

二〇一九年の今、「メイド・イン・イタリー」と聞いて「今さら感」をもつ人がいるとすれば、「メイド・イン・イタリー」が姿を消したからではない。あえて語るまでもなく、日常の生活に定着してきたからではないだろうか。

すぐ思い起こすのは、イタリア料理店の多さだ。繁華街を歩けば、イタリア料理店に掲げられたイタリア国旗を見ないことは稀だろう。NTTタウンページデータによれば、二〇〇〇年からの一〇年少々の間でさえ、全国での店舗数は二〇％の伸びを示していた。イタリア料理の浸透ともに、オリーブオイルは一九九〇年代前半と二〇一〇年代を比較すると、一〇倍以上の量が輸入され、常備している家庭も増えた。

ファッションでいえば、デパートやセレクトショップを覗くと、かつて世界を騒がせたデザイナーブランドではない「メイド・イン・イタリー」の紳士服が、そこかしこに目にとま

る。二〜三年前、都内のセレクトショップでジャケットを買う際、店員がイタリアジャケットの「なんたるか」を滔々（とうとう）と語ってくれた。「英国のジャケットよりも、イタリアのジャケットこそがトレンドです」。イタリアに住む私は普段イタリアで服を買うのだが、紳士服は英国の方が格上と思っていたので、この営業トークは新鮮だった。男性ファッション雑誌がイタリアファッションを追っているのは知っていたが、現場の店員のイタリア語りには、感慨を覚えた。

生活雑貨も例外ではない。普通の人の普通の生活を舞台にしたＴＶドラマのシーンにさえ、アルテミデの照明器具が頻繁に登場する。イタリアの食や住を取りあげた、旅行番組やドキュメンタリーも毎日のように放映されている。

ニュースで取りあげられるイタリアといえば、政府の財政危機や難民問題が多く、好調な国という印象が少ない。そのために、「メイド・イン・イタリー」と聞いても、ピンと来ないのは当然かもしれない。

だが、次のような事実を知ると、どうだろう。

「メイド・イン・イタリー」をグーグル検索してみると、「メイド・イン・国名」のなかではダントツの人気を誇る。「メイド・イン・フランス」や「メイド・イン・ジャーマン」といった欧州の他国と比較して、より多く安定的に検索されている。また、どこの国のアマゾ

ンでも一定の存在感を示している。

こうした事実を知ると、**自分が見ていないイタリアがある**と気づくはずだ。実を言えば、本書を書く大きな動機であるイタリアの企業、特に中小企業が海外市場で存在感を発揮している例は枚挙にいとまがない。それらに触れることなく、「イタリアはこうだ」と断定して無視するのは正直もったいない。なぜならそこにこそ、日本の中小企業が光明を見る道がある、と考えるからだ。殊にデザイン戦略に鍵がある。

自律分散型の「メイド・イン・イタリー」

「メイド・イン・イタリー」は四つのAが主流だ。業界を表すイタリア語の頭文字がAとなっている。ファッション(abbigliamento)、食品(alimentari)、インテリアデザイン(arredocasa)、自動機械(automazione)の四分野である(英語の場合、Fashion、Food、Furnitureで三つのFと称することもある)。売上高の大きさでいえば、自動機械、ファッション、インテリア、食品の順である。

機械はクライアントの要望に沿ったパーソナライゼーションに強く、ファッション・食品・インテリアの三つの業界で使用される機械に持ち味がでやすい。どれも日常生活で使用

される消費財であるのが、これらのジャンルの共通点である（ちなみに、イタリアの対日輸出金額データをチェックすると、薬品分野が右記の分野と競っている。ただ、これらは日本の製薬メーカーへのOEM生産の数であり、日本の消費者に「メイド・イン・イタリー」と認識されることはない）。

私が考えるに「メイド・イン・イタリー」には、三つの特長がある。

一つ目に、決してローマの中央政府主導で獲得したブランドではないという点である。戦後の高度成長期、際立った先端技術のない地方の中小企業が、自治体や地銀の助けを借りながら、地道に積み上げた実績が統合されたものである。中央集権的ではなく、自律分散型の特長をもっているといえる。

二つ目に、中小の企業であっても大企業に振り回されていない点である。中長期での戦略を重視する中小規模の企業のビジネスには、時代やスケール志向に簡単に流されない強さを感じる。

三つ目に、テクノロジー主導のビジネスではない点である。人類の歴史は火を発見した時代からテクノロジーが先導してきた。だがテクノロジーが鍵であっても、そればかりではない、とモヤモヤ感をもっている方も多いだろう。そうしたテクノロジーがすべてとの喧伝に飽き飽きしているのなら、嗅覚を大いに刺激してくれる話がここにはある。

これらのイタリアの中小企業経営の特長を深く理解するにあたって、二つのキーワードを

指標としていきたい。「意味のイノベーション」と「アルティジャナーレ」である。この二つの言葉をデザインの文脈で説明しながら、多様な企業や研究者へのインタビューとともに成功事例の背景を探っていくのが、本書の道程である。初めての言葉に「?」とお思いになるかもしれないが、最後のページまで読み終えた時、あなたの「手の内」となっていれば、本書は成功である。

岐路に立つ「メイド・イン・ジャパン」

さて、ここでいったん、私が本書を書く動機について触れておこう。

二〇一四年、『世界の伸びている中小・ベンチャー企業は何を考えているのか』(クロスメディア・パブリッシング)という本を書いた。そのなかで私が指摘したのは、「広く安く」ではなく、「狭く高い」商売をする欧州企業の姿勢だった。海外市場での「広さ」にあまりムキにならず、限られた範囲で堅実に利益を上げている点を強調した。

それから五年を経て「狭く高い」だけなく、「狭く深い」がキーワードになってくるのではないか、と思うようになった。特にイタリアの中堅・中小企業に見られる、企業規模と市場のインパクトの度合いに、際立った非対称な関係があることに気がついた。なぜ巨大企業

でもないのに、その名や商品が世界市場に知られていることが珍しくないのか。企業規模のわりに市場での存在感が大きい事例が多いのはなぜだろうか。こうしたことを探っていったうえで、「メイド・イン・ジャパン」に引きつけてみると、多くの気づきがあるのではないかと考えたのである。

日本は、大企業を中心として家電や自動車で「メイド・イン・ジャパン」のブランドを築き上げた。第二次世界大戦後、欧州・米国の製品を真似ることからはじめ、最初は安い価格で市場のシェアをとり、徐々に製造品質や商品の多機能・高機能で差別化を図り、世界中を席巻した。しかし、バブル崩壊以降、そのプレゼンスは徐々に低下、殊に今世紀に入り市場の軸が新興国に大きく振れ、その強みが発揮しづらくなる。その間隙を、中国や韓国の企業にどんどん奪われ、専門家や一般の人の目から「メイド・イン・ジャパン」の表記が遠のいていく。次ページの表は、一九五〇年から二〇〇八年までの間、英語の書籍に「メイド・イン・ジャパン」がどれだけ掲載されたかの変遷だ。

米国の社会学者であるエズラ・ヴォーゲル『ジャパン・アズ・ナンバーワン』が出版された一九七九年から急激な上昇気流にのり、バブル期に頂点に達する。しかし、バブル崩壊の直後を境に下降する一方だ。「世界のグローバル化が進み、原産国名で語られなくなった証拠でしょう」と思うかもしれない。しかしながら、先にも触れたように、「メイド・イン・

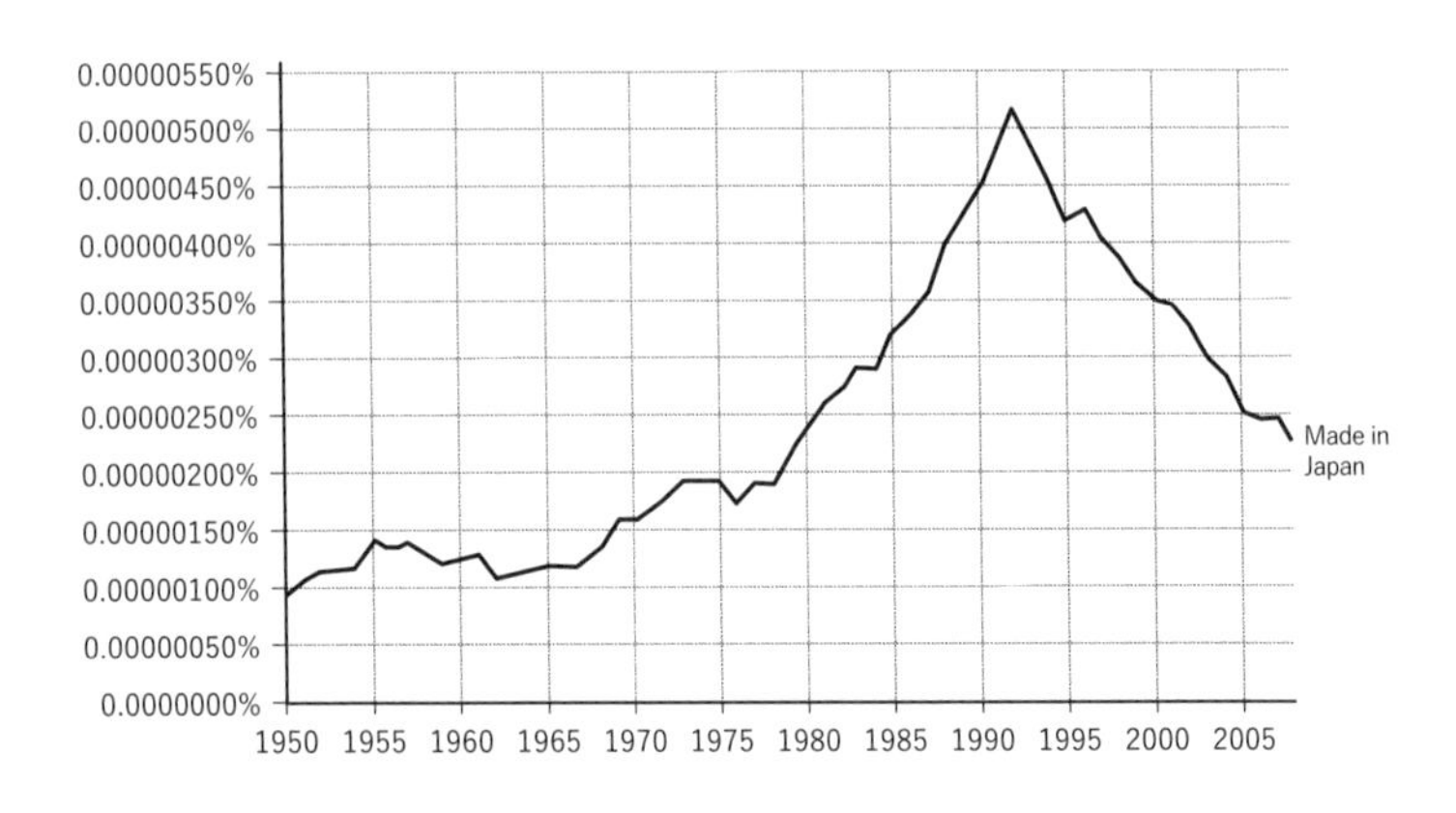

英文献における「made in Japan」の登場回数の変遷（1950－2008）
参照:Google Books Ngram Viewer

イタリー」は上昇中なのだ。

　こうして市場の壁に直面した現在、クールジャパンの御旗のもと、官民が共に生活雑貨品や食品で新しい世界市場をつくろうとしている。毎年二回、フランスのパリで開催される生活雑貨の見本市「メゾン・エ・オブジェ」に、日本貿易振興機構（JETRO）が中小企業の参加を促しているのが一例だ。

　まさしくそれらの分野で先行しているのが、「メイド・イン・イタリー」を担う中小企業である。農水省も強く後押ししている日本酒の輸出額は二〇一八年ベースでようやく年間二〇〇億円を超えたが、イタリアワインの輸出額は八〇〇〇億円に迫る。日本の年間家具輸出額はおよそ九〇〇億円だが、イタリアの家具は一兆円を大きく越える。

日伊の間にはとても大きな乖離がある。商品カテゴリーとしてインターナショナルな生活様式に沿っているかどうか、という市場規模の問題はもちろんある。だが、その大きな市場で「意味のイノベーション」と「アルティジャナーレ」という二つの力を発揮して、存在感を見せているのが、イタリアの中小企業である。

「意味のイノベーション」がつくる存在感

「意味のイノベーション」とは、**モノやサービスがもたらす意味を変えること**である。「狭く深い」の「深い」の源泉でもある。

イノベーションというと、最新の技術によってもたらされるものというイメージがある。だが昨今は「技術イノベーション」から「サービスのイノベーション」に市場動向が移ってきている。新しい技術だけが時代を推進するのではなく、すでにある技術を統合したサービスが時代を引っ張っている。

たとえば、アップルのiPhoneは、ハードウェアとしてではなく、ビジネスモデルとしてよく語られる。音楽などのコンテンツを含むエンターテインメント、ウェブ閲覧、メール、電話といった機能の一つひとつはすでに存在していた。それらがすべてハンディな機器一つ

でこなせ、しかも心躍る経験を提供してくれる。これが衝撃の理由だった。

そのアップルは、時価総額一兆ドル以上（二〇一八年八月二日時点）で世界一の価値を誇る会社だ。時価総額がすべてを語るわけではないし、金融市場が世界のオーナーでもないが、ある一面は見せてくれる。この場合でいえば、イノベーションのネタはビジョンと技術の組み合わせのサービスであることを裏付けている。

ここで「意味のイノベーション」がキーになる。ミラノ工科大学の経営学の教授、ロベルト・ベルガンティが提唱した概念である。

技術イノベーションだけでは独占的な新しい市場を作りづらい。また問題解決型のイノベーションは役立つ場面もあるが、問題解決のアイデアがコモディティ化しており、差別化の要因になりにくい。したがって「意味を与える」というデザインの本来の役割に立ち戻り、意味のイノベーションにもっと目を向けるべきである、と彼は主張する。

たとえば、ロウソクは電気のない時代、灯りを提供する生活必需品であった。しかし、先進国を中心に電気が普及した現在でも、ロウソク市場は成長している。というのも、ロウソクの意味が変わったからだ。オシャレなレストランのテーブルや、ホームパーティの食卓にロウソクがある。ゆらめく灯りやアロマに惹かれる。ロウソクには電灯にはない、詩的感情をよびおこす性格がある。もちろん、五〇〇年前の教会におかれたロウソクの灯りにもそ

うした意味はあった。だからまったくなかった意味が現代において生みだされたというのではない。詩的な意味が再発見された、ということだ。

見逃せないのは、モノの意味はそれ自体からではなく、モノを囲む環境や使われる状況にしたがって変わってくる、という点だ。意味はコンテクストと不可分の関係にある。したがって技術的にずば抜けたものがなくても、市場にインパクトを与えられる、というのが意味のイノベーションである。ここでいいたいのは、技術の進化が不要ということではない。技術の進化を必要十分条件としないイノベーションの可能性を語っているのである。

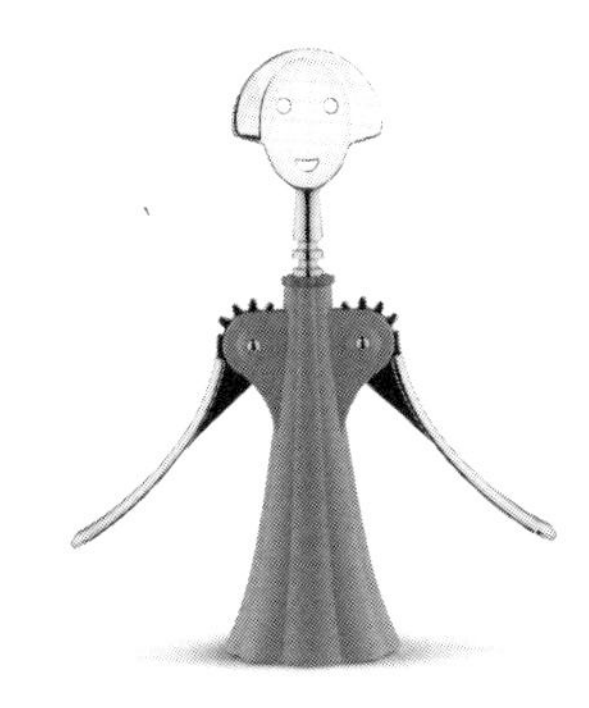

アレッシィのアンナG

Alessi S.p.a., Crusinallo, Italy.

こうした意味のイノベーションに秀でた、規模の小さな企業がイタリアには多い。たとえば、生活雑貨メーカー・アレッシィ社の製品だ。アンナGという女性の姿を模したロングセラーのワインオープナーがある。ワインボトルのコルクを抜く時、アンナGの手が広がる。オープナーのヘッドを女性の顔と頭に、その下をドレスと腕に見立てている。このタイプのオープナーは元フランス大統領のシャルル・ド・ゴールの演説の時の手の振りに似ていると、

「シャルル・ド・ゴール」型とも呼ばれるが、アレッシィは大統領を女性のダンサーに変え、オープナーを単なる道具から洒落た玩具にしたのである。淡々とコルクを抜くだけの作業を、見て楽しいプロセスにした。

こう説明すると、意味のイノベーションは「表情をつけ替えただけ」と思われる人もいるだろう。しかし、カタチや色を変えて違ったコンテクストに置き換えるのが、その核心である。イタリアにおいては、こうした事例を探すのにさほど苦労しない。これが探索の出発点である。

「アルティジャーノ」と「職人」

「意味のイノベーション」を第一のキーワードとすれば、二つ目は「アルティジャーノ」である。英語のクラフツマンや仏語のアルティザンで、日本語でいう「職人」である。ただし、日本語の「職人」とイタリア語の「アルティジャーノ」の間には、意味するところに大きな差異がある。本書では「アルティジャーノ」(または職人的を意味する「アルティジャナーレ」)というイタリア語をそのまま使う。

日本では、職人は過去の技術の伝承者であり、新しいビジョンの担い手とは、思われて

いないだろう。職人とは一人で黙って作業を続け、人付き合いが苦手というイメージもある。よって職人と聞けば、従業員が一〇人もいない工芸品をつくる工房などをイメージする。自動車メーカーが高級車の内装の革や木製部品について、「職人芸が反映されている」と宣伝することがあるが、企業自体を職人の会社と称することはない。日本語の感覚からすると、たとえば、従業員が一〇〇〇人を超える「職人企業」には違和感をもつのではないだろうか。職人と会社はうまく結びつかない。

たいして、イタリア中部のウンブリア州にある、ブルネッロ・クチネッリというラグジュアリーブランドの創業者は、「われわれはアルティジャーノの会社だ」とよく語る。同社は一九七八年創業のファッションメーカーで、高級カシミアセーターを皮切りに、現在はファッション全般を扱っている。イタリア国内の従業員だけでも一〇〇〇人ほどの、ミラノ株式市場の上場企業である。

同社の本社周辺一〇〇キロ圏内には、協力工房が多数点在し、そこから搬送されてきたアッセンブリーの品質チェックや修正を本社で行う。多い場合だと七~八回の往復があって、初めて一着の服が完成する。機械ではなく手を動かすことによってできるモノにブランド価値がある、と考えている。また、ウンブリアという土地を、ブランド価値の核においている。

これはブルネッロ・クチネッリに限ったことではない。ファッションブランドのグッチに

はフィレンツェの文化にある職人芸があり、高級車のフェラーリはマラネッロの文化が根付いている。ローカルでしかできない商品を提供するからこそ、グローバルで希少な価値をもつ。

さらにイタリア人の本領として、手を動かす人は起業家精神にあふれているケースが多い。アルティジャーノはビジョンの作り手である、との自覚も強い。何かを自分の手で作ったら、それをどうするとよく売れるかを自ら考え、実行する人たちが多いのである。したがって、アルティジャーノは起業家の資質に近いところにいる。

このように「アルティジャーノ」と「職人」は、言葉が定義する範囲や意味が違う。さらに、この差異がビジネスに及ぼす影響は大きいことが想像できるだろう。

小さな工房にしか「職人技による製品」とのふれこみができないと思い込んでいると、このようなラグジュアリーなブランドビジネスができない。そもそも、日本では中規模の量産レベルになると、「仕方なしに、手でやっている」程度にしか思っていない。手仕事のプロセス自体に高い価値があると気づいていないために、機械作業と手作業を価値という観点からはっきりと区別する習慣がない。

ここは逆手をとり、「アルティジャナーレ」の考え方を援用すると、日本の企業も世界が広がる可能性がある。海外市場でのブランド作りが積極的にできるはずだ。

「産業の集積化」というローカリゼーション

イタリアの中小企業を語る意義は、その存在感の強さの秘訣を探るだけではない。イタリアの第二次世界大戦後高度成長において原動力の一つになったのは、「**産業の集積化**」であった。ミラノ郊外のブリアンツァには家具メーカーが集まり、ヴェネト地方のヴィチェンツァ周辺には銀を材料としたアクセサリーを作る工房が集中する。エミリア゠ロマーニャ州のサッスオーロには多数のタイルメーカーが存在する。

これらの産地は、原材料の入手しやすさから集まった、というような明確な理由をすべてがもっているわけではない。たまたま、あるメーカーの成功を横目に見て「俺たちならもっと別の良いモノができる」という連鎖によって拡大し、人材の流動性が高まり、自治体や地元銀行の援助もあり、ノウハウの共有レベルが向上していった。それに伴い、完成品メーカーだけでなく、部品メーカーも充実してきた。こういう地域も少なくない。

こうしたイタリアの中小企業を育む産業集積地のメカニズムが、世界で評価を受け話題になった時期がある。一九八〇年代から一九九〇年代初めにかけてだ。だが、その後、取りあげられることは少なくなった。それ以降のホットスポットは、米国のシリコンバレーとなり、

特にIT分野のスタートアップ企業が、短期間でグローバルレベルの大企業に成長するというのがロールモデルになった。日本を含む世界各国の企業はここで褒めあげないと出遅れる、とばかりにシリコンバレー詣でに走った。

しかし、デジタルとグローバル市場ばかりでスケールするモデルを求めすぎたことで、アナログの「そこそこ」のエリアで、「そこそこ」に稼ぐビジネスのモデルが見逃されてきた。そうこうしているうちに、先に述べたようにイノベーションの軸は「テクノロジー」から「サービス」に移ってきたのである。

シリコンバレーにすべてのネタがあるわけではないこと、また、無限大のグローバル市場とは巨大企業以外にとっては幻想であること、こういったことが明らかになってきた。金融市場が動かす期待値に基づく時価総額で測られる世界とは縁のない、多くの企業群が見るべき風景が別にあるはずである。世界の状況は一律にフラットではなく、まだら模様なのだから。

こうした文脈のなかで、イタリアの中小企業の活動には見るべきものがある。それらの企業がどう挑戦しているか、本書で紹介していきたい。

構成としては、第1部で「メイド・イン・イタリー」の強さの源泉とその存在感のありか

を、「意味のイノベーション」と「アルティジャーノ」という観点から語る。第2部でイタリアが得意とする衣食住をめぐる企業を紹介しながら、第一部で述べた強さの要因を具体的に説明する。第3部では新しいメイド・イン・イタリー像のこれからについて触れる。そして最後に、日本の企業人にとって参考になるだろう点を指し示したい。

第1部

「メイド・イン・イタリー」を再定義する

第1章

「意味のイノベーション」という戦略的デザイン

メイド・イン・イタリーは「小さなデザイン」か？

本章では「メイド・イン・イタリー」のキーワードの一つである「意味のイノベーション」を深掘りし、「イタリアの中小企業はモノやサービスに意味を与える（意味を変える）のが得意」という話を展開していく。それにはまずイタリアの中小企業がデザインをどう捉えているか、というところからはじめたい。というのも、イタリア企業におけるデザインの基礎レベルを語ることは、意味のイノベーションのレベルを語ることと等しいからである。すなわち、デザインとは、対象に「意味を与える」ことがその重要な役割である。

ここでさらに「デザインとは何か」を簡潔に語るなら、意味を与えるに加え、思考の最初からアウトプットに至るプロセスの「可視化」であり、アウトプットの評価において「審美性」が問われることである。①「意味を与える」、②「可視化」、③「審美性」、これら三つがデザインを語る際の大切な要素だ。

メイド・イン・イタリーといえば、見栄えの良さや特徴的な色やカタチといった優れたデザインにおいて語られることが多かった。「イタリアらしい明るい色使い」「奇抜な形状」「大人のムード」「発想の独自性」とさまざまに形容される。すなわち、③の「審美性」がフォーカスされていたのである。

ひるがえって昨今、デザインの対象は二〇世紀において主流であった物理的なモノの色やカタチ（「小さなデザイン」と称する）だけでなく、電子機器で使われるスクリーンのユーザーインターフェースやプロダクトにかかわる一連のサービス、さらには経営や社会まで（「大きなデザイン」と称する）にも広がっている。そのためにデザインは、建築家やプロダクトデザイナーといったクリエイティブ分野の人たちだけでなく、ビジネスパーソンから行政の人までが口にする言葉になりつつある。

そこで、まず、ここに至るまでの経緯、すなわち近代デザインの流れをざっと追ってみよう。

一八世紀後半の産業革命は、機械による大量生産、すなわち工業製品を発明したが、同時に質の悪いモノが市場に出回るようになる。一九世紀後半、それにより生活の質が低下したことを、英国の芸術家・思想家であるウィリアム・モリスは憂い、中世のような手仕事の工芸品を復活させることで人間的な生活水準を取り戻そうとするアーツ・アンド・クラフツ運動を起こす。これが近代デザイン史のスタートである。手仕事の復権という意味では「小さなデザイン」であるが、社会運動という意味では「大きなデザイン」でもあり、デザインという言葉はもとより両者を併せ持つものであった。

その後、二〇世紀の初頭、ドイツに開校したデザイン・建築の学校であるバウハウスは、モリスの思想を継承するかたちで、大量生産品の質を上げることで生活の質の向上に努めた。他方、米国では消費社会の進行に伴って、スタイリングの美しさや新しさに重きをおく「売れるためのデザイン」が推進され、次第に全世界に浸透していった。現在われわれが日本で一般的にイメージする〝デザイン〟の源流は後者にあるが、同じデザインという言葉でもいくつかの異なった潮流が枝分かれしていった。

二〇世紀後半になり、コンピュータが発明され個人にも普及していくと、ユーザーインターフェースなど物理的に手で触れないもののデザインへと領域は拡大されていく。また、ユーザーの「行動の裏にあるもの」の理解が重視され、認知科学や文化人類学の知見がデザイ

ンの力として活用されるようになる。

並行して、プロジェクトにかかわるさまざまな関係者を巻き込むデザイン手法が、スカンジナビア文化圏を中心に生まれ開発されていく。デザインのもつ検討から決定へのプロセスの可視化というアプローチは、多数の人が関与し、平等な発言権をもつことが前提とされたプロジェクトの場合、活躍の場を得やすい。合意形成を透明化し民主的プロセスを重視するところから、需要が生まれたわけである。スカンジナビア諸国の行政や市民が参加する公共性の高いプロジェクトが、大きなデザインの事例としてメディアにも取りあげられるのは、このような理由による。

この流れのなかにあって、先のメイド・イン・イタリーへの形容は、主に小さなデザインを指すことが多い。二〇世紀後半、世界でイタリアの小さなデザインの評判があまりに高かったため、今世紀に入って他国の人から「イタリアは小さなデザインを得意としてきたが、大きなデザインにはあまり積極的ではない」と評されることがある。これをかみ砕けば、行政の政策や企業戦略のレベルで活用されるのがデザインのトレンドであり、イタリアはそうした大きなデザインに関心が薄いということになる。

しかし、これを不当な評価だと考える人たちがイタリアには少なくない。その言い分とはどんなものだろうか。

大きなデザインを内包する小さなデザイン

大きなデザインには陥りやすい罠がある。誰もが参加しやすいプロジェクトの前提条件である「可視化」を重視するあまり、「審美性」を軽視せざるをえないことがある。「美しい」「ダサい」との判断は、個人の資質や育った環境によるセンスに依存することが多いため、大きなデザインのプロジェクトでは「美醜については語らないことにしよう（だから、君も参加しやすいでしょう）」との展開が図られる。

実は、この部分、つまり参加しやすくするために審美性を検討項目から外すことを、イタリア人はとても嫌がる。審美性は何ごとにおいても欠くことのできないものなのだから、断固妥協を拒否するといった具合である。したがって、大きなデザインのプロジェクトにおいても、小さなデザインに不可欠な要素、すなわち「美しいか、美しくないか」が入ってしかるべきと考える。物理的なモノだけでなく、概念や考え方についても「美しいか、美しくないか」とのものさしをもってくる。

そこで私はイタリア文化にある審美性へのこだわりを踏まえ、イタリアのデザインの特徴を次のように解釈できるのではないかと考えている。

イタリア企業の（小さな）デザインの概念には、経営戦略的な大きなデザインがあらかじめ含まれている

実際、そのような主張をする経営者や研究者が多い。「われわれはモノのカタチや色にこそ、自分たちの経営戦略そのものを込める。カタチや色と経営戦略とに乖離があるなら、デザインとして成功していない。英米などのアングロサクソン系企業の語るデザインは、企業のビジョンとスタイリングの間に乖離がある」と語る。よってカタチや色を決めることを、低次元の作業と理解するのは大きな思い違いである。

大きなデザインの一部として小さなデザインがあるのではなく、小さなデザインが大きなデザインを内包していると考えるのだ。往々にして大きなデザインは対象の領域と時間軸が広いため、小さなデザインよりも次元の高いものとして語られがちである。だが、イタリア人はそう考えない。

他方、イタリアデザインの別の面も指摘しておきたい。イタリアでは大きなデザインを、デザインの言語で語らないことが多い。たとえば新しい食のライフスタイルをデザインしたスローフード協会は、食をコアにおいた社会運動として際立った存在であり、世界におよそ

一〇万人の支援者がいる。だが、現場でデザインという言葉を使わない。

また、乳幼児教育が街の基盤をつくるとして、多大な公共予算を費やしているレッジョ・エミリアの教育はローカルに軸足をおいたアプローチだが、世界各地で評価され、一〇〇か国以上に普及している。社会のあり方をデザインしているので、それをソーシャルデザインと呼んでも構わないが、自らそうは呼ばない。

つまり、大きなデザインのレベルで世界に多大な影響を与えているにもかかわらず、デザインという言葉を積極的に使わず、この言葉を安売りしない。これも一部に「イタリアは大きなデザインに消極的」と見られる理由である。

しかし、デザインという言葉そのものを意識して使うか使わないかは別として、デザインの原点を重視する態度が圧倒的に社会に根付き、中小企業の経営者たちもデザインの使い方をよく知っている。そして、その素養からデザインが意味をつくる、との本来の意義も暗黙の了解となっている。その証拠に、私が「イタリアの中小企業の強さは、意味のイノベーションの秀逸さにありますか?」と経営者や研究者に問えば、言わずもがなとの反応がほぼ百発百中、返ってくるのである。

そこで、次に序章で紹介したロベルト・ベルガンティの本の内容から、「意味のイノベーション」という概念をなぜ彼が提起したのか、さらになぜイタリアの企業人がそれに長けて

いるのかの文化的背景を探っていこう。

「問題解決」という問題

ベルガンティは二〇一六年二月、*Overcrowded: Designing Meaningful Products in a World Awash with Ideas*（MITプレス）を出した。二〇一七年六月には邦訳『突破するデザイン――あふれるビジョンから最高のヒットをつくる』（日経BP社）が刊行され、私は監修者としてかかわった。

『突破するデザイン』書影

ロウソクが「灯りをとるため」のものから「心を和ますため」のものになり、写真が「思い出を記録するため」から「アイデンティティを確立する手段」（たとえば、SNSにおけるセルフィー）に変化している。これをベルガンティは「意味のイノベーション」と呼んでいる。

ベルガンティが意味のイノベーションという概念を打ちだしたのには理由がある。

この一〇数年、「ユーザーの問題を解決する」「社会の問題を解決する」とのフレーズが闊歩してきた。「他人を見ること」がすべての鍵であると思われてきた。消費者であったり、モノを扱うユーザーであったり、「他人を中心におくこと」をすべてに優先させるのが、より善き社会をつくる唯一の筋道であると考えられてきた。特にインターネットのサービスの多くは、インターネット以前には人びとが認識していなかった事柄を問題として浮上させ、その解決を図ることを謳った。

これと並行するように、イノベーションという、もう一つのキーワードが、この問題解決という動向に影響を与えてきた。およそ半世紀にわたりイノベーションという言葉は普及してきたが、この二〇年ほどでより一般的な定着をみた。ここで問題解決はイノベーションを生む動機である、と強調されるようになる。

こうして問題を解決するための手法が数多く生みだされる。問題の可視化や突破口の見つけ方の手法として、デザインのアプローチも活用されるようになってきたわけだが、なかでも有名なのが、米国のスタンフォード大学とデザイン会社ＩＤＥＯが構築した「デザイン思考」だ。エンジニアや事務系のビジネスパーソンにとってもデザインプロセスを使いやすくしたものだ。

これらの手法によって問題解決を図るアイデアを生みだされ、それにより多くの問題解決

に貢献したことはたしかだ。しかしながら、ベルガンティはこうした問題解決の手法ばかりが持ち上げられる現状に違和感を表明する。彼は『突破するデザイン』の冒頭、以下のように書いている。

> 人々はいつも意味を探し続けてきた。この探索は人類の歴史に深く刻まれている。（中略）意味の探索は、人々がアイデアにどっぷり漬かり、選択肢であふれた今日、急に話題になったものではない。あらゆることが起こり得るこの世界では、人生における大問題は「どのように」でなく、「なぜ」だからだ。
>
> これまでのイノベーション理論は、人生に根ざしたこの根本的な視点を見逃してきたようだ。それらは、前世紀に定着した生活の青写真、つまりニーズというものによって突き動かされてきた生活を提唱してきた。暗に顧客を「歩く解決すべき問題」として見ているのである。たとえその見方が「ユーザー中心」や「人間中心」と分類され、人間を対象にしていても、深く考えるとその見方は非人間的であることを認めざるをえない。
>
> （『突破するデザイン』、三頁）

問題解決にエネルギーを費やすのが悪いのではない。人びとが問題解決で問われる方法に

かかりきりになり、方法・手段に関するアイデアばかりが過剰に増え、逆に世界が見えなくなっており、その結果、もっとも重要な「なぜ」この問題を追うのかという動機を見失っている、とベルガンティは語る。原書のタイトル「Overcrowded」とは、まさにこの、方法とアイデアでいっぱいになった状況を批判した言葉である。

そこでベルガンティは人びとがふたたび動機をもつこと、すなわち「意味の探索」の大切さにふたたび気づくことを促し、意味の創造に注意を向けるよう強調する。彼はこの意味の創造を贈り物に喩える。

> 贈り物は、贈り主の気持ちから生まれることが重要で、それは贈り主自身の意味の探索なのである。贈り主としてのあなたが愛せないものを、誰が愛してくれるだろうか? 意味の探索は、問題解決や単なるイノベーションだけではなく、あなたが人々とこの世界のために意味があると信じる方向に向かってイノベーションを起こすチャンスなのである。意味とは、贈り主であるあなたと、あなたがつくりだしたモノゴトを受け取る相手をつなぐものなのだ。
>
> (『突破するデザイン』、四頁)

意味のイノベーションはユーザーが気づいていない、しかし、ひとたび手にすれば愛してやまなくなるようなモノゴトの誕生への願いを動機としたイノベーションである。それを開発する方法は、これまで暗黙知としての要素が多く、あまり明示的に説明されてこなかった。どうしても決定権の強い人に占有されがちであった。そこをベルガンティはブラックホールと見なし、意味のイノベーションという概念を打ちだし、解き明かそうとしたのである。

「意味」を深める二つのポイント

意味のイノベーションの実践にあたっては、二つの点が原則である。**「内から外へ」**と**「批判精神」**である。

一つ目の「内から外へ」は、自らの動機にはじまる内発性に重きをおくことである。問題解決の手法においては、市場のユーザーに沿ったイノベーションが奨励されてきた。「外から内へ」という発想である。しかし、ベルガンティはこのベクトルを逆にする。

意味のイノベーションとは、進むべき方向の変化、判断のものさしの変化である。私たちが外部者のアイデアから考え始めると、たとえ目の前に価値のある提案があったと

しても、それに気づくことはできない。こわごわととっぴな方法を試そうとしても、すぐに退けられてしまうだろう。

ソリューションを探すことは外部に頼めるが、ビジョンをつくることは他者に頼めない。ビジョンとは、モノゴトを見るためのレンズであり、世界に意味を与える魂である。

（『突破するデザイン』、二九頁）

モノの開発やコトを起こす当事者の「内」を起点とする。ビジョンは個々人のなかから生まれてくるからだ。ゆえに、自分で判断のものさしをつくり決めていくことが重要になる。「人びとはどんなものを欲するだろうか？」と探るのではなく、「**自分で欲しくないものを、人びとが欲するだろうか？**（欲するはずがない）」と疑問を投げかける。

これが、「内から外」である。一人の個人の内からスタートし、市場や社会と向き合う企業などの組織まで広げる。そこで内部でビジョンやコンセプトが決まって初めて「外」にいく。

二つ目が「批判精神」である。

問題解決には、無菌状態での非個性的な態度が求められる。先入観や個人の価値観を排除し、純粋無垢になる必要があるのだ。あなたが他の誰かの問題を解決したい時には、

理にかなった態度である。

（『突破するデザイン』、四頁）

問題解決には多くのアイデアを出し、それらのなかからベストなものを出す、との量的な発想が肯定される。だからアイデアを否定しないことがルールになる。しかし意味のイノベーションには、まったく反対の態度が必要である、とベルガンティは説く。意味を生みだすには量ではなく質が問題になる。そこで批判が必要になる。それも個性的な批判である。お互いのビジョンをたんに褒め合うのではなく、距離をもって的確に判断・意見を述べていくことでビジョンは成長する。

批判精神とは、否定的になることではない。より深く関係性を探り、緊張関係を生み出し、差異を議論し、新たな秩序を見つけるために、モノゴトをシャッフルし直すことなのだ。私たちが信じているもの、私たちが探しているものへの批判精神なくしては、そこにあるはずの新たな発見も、旧式のレンズを通して見ることになる。見たいものだけを見てしまうのだ。

（『突破するデザイン』、二九頁）

ベルガンティは意味のイノベーションの例として、近代絵画の「印象派」を取りあげている。一九世紀の欧州で生まれた印象派は、「室内で神話をベースに木は緑の葉と茶の幹であるというように、見た目に近く描く」伝統的絵画を、「戸外で自分が感じたままに、木々を青く、地面を紫色に色付け」するものに変えた。

オーギュスト・ルノワールは最初にパリ近郊のフォンテーヌブローで新しい画法を試み、それを信頼するアルフレッド・シスレーに見せた。ルノワールの絵画を見て、シスレーは「君は何とクレージーなんだ！」と批判しながらも、だんだんとルノワールの考える方向に同調していった。

ルノワールにとって、シスレーは批判をくれるパートナーであったのだ。その後、バジール、モネ、マネ、ドガ、セザンヌ、ピサロがこの批判プロセスに加わっていく。こうして古典的枠組みを越えた絵画が高く評価される時代が到来する。

ルノワールという一人の内に芽生えたビジョン（＝内から外）が、他者の批判を受けながら（＝批判精神）徐々にカタチになり、世の中に新しい見方を提供（＝意味のイノベーション）したのである。

技術によらないイノベーション

意味のイノベーションの強みは、必ずしも先進的な技術に依存しなくても実現できる点である。イノベーション＝技術革新との固定観念があると、なかなか頭が切り替わらず、こうしたイノベーションが視界に飛び込んでこない。

実際、イノベーションを主導するのはテクノロジーだけではなくなっている。サービスと絡むことによって、初めて社会にインパクトを与えることができる。したがって、意味のイノベーションは、このトレンドとも相性が良い。

序章で紹介したアレッシィのワインオープナー「アンナG」は、食卓でワインのコルクを抜く際、女性が手を徐々に上に挙げながら踊るさまを皆で楽しむようなデザインになっている。難しい技術はない。バタフライ型のワインオープナーのヘッドを女性の顔にして、スクリューのある下の部分を両腕とドレスに似せているに過ぎない。「過ぎない」と書いたが、それは技術的に実現が困難でないと思われるからだ。しかしながら、このデザインコンセプトは「過ぎない」といったレベルではない。単なるコルク抜きという作業を、エンターテインメントに変えたのである。すなわち、コンテクスト（モノを使う文脈）をデザインしたのだ。

そう理解すれば、この商品の面白さに気がつく。いわゆる「化粧を変える」だけが小さいデザインのエッセンスであると認識していると、アンナGの意義が掴めない。

このような特徴から、意味のイノベーションは、地方行政や技術に弱い地方の中小企業などでも活用されやすい。中小企業では当然ながら、複数の特許を複合的に組んだ技術特許戦略などそうそうとれない。人材や資金をふんだんに使えないなかでの企業努力をするしかない。とすると、自分たちの商品の存在価値を技術以外の点でどう増やすか、が考えどころになる。その時、意味のイノベーションが活躍するのである。

イタリアの企業人が「意味のイノベーション」に強いわけ

さて、ここまでの説明から、なぜイタリアの中小企業がデザインへの理解が深く、意味のイノベーションに強いのか、その理由について文化土壌を考慮しながら整理しておこう。

イタリアの企業人は、章頭で挙げたデザインの原点へのこだわりが強く、①「**意味を与えること**」、②「**可視化**」、②「**審美性**」の三つの要素を不可欠と見ている。

①「意味を与える」については、大学でエンジニアとなる勉強をしたベルガンティは、「高校時代において理系ではあったものの、物理よりもラテン語の授業の時間の方が多かっ

た。こうした教育がモノゴトのエッセンスを強く求める傾向をつくっているのはたしか」と語っている。エッセンスを求めるとは、意味を探索することだ。意味を与えることや探ることへの欲求が強いのである。

②「可視化」については、メタファーの使い方の上手さが挙げられる。抽象的なことや曖昧で難しい内容を、視覚的にイメージしやすい別の事例に置き換える習慣が定着している。意味のイノベーションを実施するにあたり威力を発揮するのも、メタファーである。『突破するデザイン』から引用しよう。

意味のイノベーションとは、長い時間のなかでゆっくりと神話になってしまった、すでに確立したメタファーへと挑戦し、新しいメタファーへと置き換えることである。「私たちの文化的変化の多くは、古いメタファーの喪失と新しいメタファーの導入によって生まれる」（中略）メタファーを変化させることなしに、新しい意味を創造することは決してできないであろう。

（『突破するデザイン』、二六六―二六七頁）

メタファーの熟練度の高さが、意味のイノベーションの実現度を大きく左右するのである。

③「審美性」については、経営を美学やアートの見地から議論するイタリアの文化的土壌への言及が欠かせない。「美しくないモノは存在に値しない」と製品の美的な側面への辛口の言及だけでなく、経営のレベルを芸術的精神性の高さとの関連で語ることが珍しくない。「イタリア人はアーティストを気どる」と外国人から揶揄される一因でもある。イタリア人が気どった役を演じがちなことは否定できないが、審美性を参照しようとする態度は揺るぎない。

以上のような観点から、イタリアの企業人は「われわれはデザインの意義をよく理解しており、意味のイノベーションが得意なのは当然だ」と答えるわけである。

次章では、こうした「意味のイノベーション」を下支えし、両輪となる、「アルティジャナーレ」（職人的であること）を深掘りしていく。

第2章

「アルティジャナーレ」が語ること

手を動かすビジネスパーソン

手を動かしながら考える。このことを重んじる企業家がイタリアには多い。世界一大きな眼鏡メーカーのルクソッティカはイタリアの会社であるが、そこの会長も自分で眼鏡を作ることができる。身体を使いながら発想を膨らませる。そのプロセスのなかでビジョンや製品の構想を練る。結果、イタリア人の十八番は、手を動かした試作品の製作を経て、その後の起業化までの道のりが近いことだ。

この点が、イタリアのビジネスを語るにあたり、序章で触れた「アルティジャナーレ」（職人的であること）が重要な切り口になる理由である。というのも、手を動かしてモノをつくると、

言葉や論理では説明しきれない部分を連続的につなげることができる。モノに手で触れ、撫でまわした時に気持ちが良くても、その理由が説明しきれない形状であったりする。キッチリと計算された寸法の設計図に基づいて作ったモノではなく、ラフなスケッチだけで手を使って作られたモノが身体に馴染むという感覚がある。言ってみれば、手作業によって「計算を超えた良さ」に接近できる。

イタリアのビジネスパーソンは、この価値をとても大切にする。あまりにキッチリと設計された量産品は、冷たい印象を与えるだけではなく、機械さえ用意できればどの生産工場でも作ろうと思えば作れる。しかも機械による量産品は自分なりの味が出しにくい。イタリアのビジネスパーソンは他人と違うモノをつくることにエネルギーを惜しまないが、それには製品の作る過程に手仕事を入れ込むのが効果的であると考えているのだ。手仕事こそが差別化の源泉である、というわけだ。

メイド・イン・イタリーに関する著書もある、パドヴァ大学で経営学を教えるマルコ・ベッティオーリは以下のように語る。「大量生産による均一の質のモノに飽き飽きしている人が多くなりました。したがって一つひとつ、モノの形状や質が微妙に違っていることこそがいいのです。アルティジャーノの評価が高くなったのは、こういう変化と無縁ではありません」。

主要国のアマゾンのサイトには「メイド・イン・イタリー」というカテゴリーがあり、多くのハンドメイドのモノが売られている。予想に反し、そこでは品質のバラつきに対するクレームは極めて少ない。サイトにある動画などによって、購入者が工房の雰囲気をリアルに近い感覚で把握しているからだけでなく、そもそも人びとのモノへの趣向が、手仕事らしさを求めている。時代の潮流がイタリアの産業のタイプに合ってきている。

ただし、この説明だけでは、数の限定された零細工房や美術工芸品の世界の話になりやすく、産業とはいえない。それもこの一〇数年という短期間のことを語っているにすぎない。「アルティジャナーレ」がもう少し長い期間、つまりは四〇〜五〇年間、イタリアの産業界で積極的に評価されてきた背景をもう少し探っていこう。

「アルティジャナーレ」とはなにか？

「アルティジャナーレ」の話題を進めるにあたり、その範囲を少し確認しよう。

手を使って仕事をする人のタイプはいろいろある。街の小さな靴屋や自転車の修理屋から、工芸美を追求する巨匠までさまざまだ。シェフもピアニストも手を動かしている。それだけではない。コンピュータのキーを叩くプログラマーも、現代の手仕事をする人だ。しかしな

がら、それらの人たちをすべてアルティジャーノと呼ぶかどうか、議論が分かれるところだ。時代に合わせてその種類がアップデートされるのはいうまでもない。

ここでは、アルティジャーノの範囲を、「**物理的な材料に直接手で触り、モノをつくる人**」とする。具体的には、量産メーカーに製品を供給する工房などで、手仕事をする人たちをアルティジャーノとして論じたい。作家性の高い「作品」ではなく、ある程度まとまった量も作る製品の担い手である。この存在がイタリアのビジネスを特徴づけており、中規模量産体制を可能にする。「イタリアはセミインダストリー（半産業）が強み」と語る人が多いが、これこそが「アルティジャナーレ」の重要さを物語る。たとえば、序章で紹介した、ファッションメーカーのブルネッロ・クチネッリを支える協力工場で働く人たちである。

しかし、なぜイタリアのアルティジャーノは多くの数の生産をこなせるだろうか。一方、日本で職人といえば、少量生産だけに従事していることが多い。そのロジックを両国の対比で見てみよう。

日本の職人仕事は完璧な仕事と同義であろう。歩留（ぶど）まりという考え方は通用しない。歩留まりとは、製造業での良品の発生率である。製造や経済の効率と品質のせめぎあいででてくるパーセンテージだ。しかし職人は、効率と品質を同じ秤にかけない。品質を第一に優先する。生産性の優先順位が低いのである。

これにたいして、アルティジャーノは生産性を考慮する存在だ。ミラノで活躍するプロダクトデザイナーのフランチェスコ・ファチンは、各国のさまざまな企業や工房と仕事をするが、次のように語る。「アルティジャーノと完璧さは必ずしもイコールで結ばれない。たしかに一個作るのであれば完璧に仕上げるでしょう。が、仮に月に一〇〇個作るのなら、完璧にできるはずがないと平気でいう。しかも、そこで簡単に身を引かず、客に生産可能なアイデアを提案する」。

たとえば、不合格品質を生産量の五%以下に抑える条件、すなわち歩留まり九五%以上ならば、月産一〇〇個の仕事を受けよう、との発想をする。アルティジャーノは完璧な品質を目指し、少量限定生産に固執する、とのイメージをゆるやかにほどく、いや、ほどける鍵がここにある。もちろん前提として、分野やモノによってまったく異なるが、量産といっても何十万個ではないからこそ、「アルティジャナーレ」が量産に接近しやすいということもある。

アルティジャーノの名のもとにストーリーが充実し、付加価値のあるものとして高価格設定できる。高い値段をつけるブランド製品は「本物らしさ」が大切で、誰がどこで作ったのかを厳しく問われる。よって可能な限り、ロジックをあれこれ工夫し、商売として自分の手仕事を最大に活用しようと試みる。序章の冒頭で紹介したように、イタリアで手仕事をする

人は営業への関心が高く、自ら売り込むことにあまり躊躇しない。

日本の職人の世界では「禁じ手」に近い、歩留まりの考え方を採用するのに躊躇いがないのは、このような理由だ。加えて、こうしたプロセスに関する議論が、日本の職人、あるいは事業を考える人たちの間であまり高い関心の対象になっていないのが、対照的なところだ。もっぱら「古くからの技術の継承は大事」との伝統文化の文脈か、「身体を使って人間らしい生活するのは生き甲斐」との仕事観にとどまっているからだ。ゆえに、日本の文化の固有性を世界にアピールする一助として、伝統工芸品の輸出が促進もされるが、価格と量の問題から販路の道を阻まれることが多い。プラスして、手工業製品をある規模の量で高く売る術を心得ていない。

「アルティジャナーレ」を鍵とするビジネス文化は、この間に道を開拓してきている。

ゆるやかに定義することのメリット

それでは、「アルティジャナーレ」に対し柔軟な解釈を許す文化的土壌はどのようなものか。イタリア文化解読の際に鍵となる「**エラスティコ**」という言葉がある。ゴムのような自在に伸縮する状態を形容する。日本語では「弾性のある」「柔軟な」が近い。

プロダクトデザイナーのファチンも「イタリアのビジネス活動は、何ごとも〝エラスティコ〟なのだ」と語る。イタリア人の誰もが「私たちはドイツ人ではない」「人間はロボットではない」という表現を好むが、共通する基準はエラスティコであるかどうか、である。

このエラスティコとは、自分たちのやりたいことだけを頭に入れていても、ビジネスとして前進できないことをよく知っているので、常に予想のつかない事態が外からやってくることを視野に入れた「ゴムのように柔らかい」戦略的な発想のことである。この文化的特徴が、ビジネス環境に応じて「アルティジャナーレ」を使い分けることを可能にする。

また、エラスティコは、**論理の飛躍を許容する**、ということにその特徴がある。論理的な飛躍、すなわちイタリアの論理の周辺には遊びがあるわけだ。少し詳しく説明しよう。

ビジネス事象や企画を論理ですべて説明する、それもすべて文章に落とし込むのは、実はかなり無理がある。どこかに人の好みや情熱が入り込んでいたり、企画実現にデータの強引な曲解があったり、というのが普通である。仮に論理的に見える説明だとしても、一部に「無理で不自然な部分」が含まれているはずである。実行すれば、その無理は自ずと浮き上がってくる。「論理的らしい」装いが要望されるのは、大きな市場を相手に大きな組織を動かすための方便であることも多々ある。グレーゾーンがあったとしても、いかにも白黒がはっきりしているように見せる。いわゆるグローバル企業で通用しやすい。

しかしながら、さほど大きくない市場にさほど大きくない組織で立ち向かう場合、そのような不自然さを突き通す動機に乏しい。無理をする必要はない。よって論理に曖昧な部分をそのまま残すことを受け入れやすい。「直感でそう思う」「どうしても、こうしてみたい」との表現が通用する余地がもっとある。論理としては通じない部分を補う、別の表現が広く認められている。

この主観的ともいえる部分を肯定し受容するには、エラスティコな態度が評価される文化土壌がプラスに働く。これが「味のある」「セクシーな」「人肌を感じる」といった形容をつける商品を生みやすくする。これらの形容は定量的に表現しづらい魅力であり、論理的に説明しきれるものではない。

パドヴァ大学のベッティオーリは次のように語る。

「日本車に長い間乗ってきて思うのだが、あれほど高品質のクルマを生産し続ける日本の自動車メーカーが、世界的に美しいと評価されるクルマをなぜ作れないのか？ 細かい設計を全体の美しさにつなぐ技を日本の企業はもっていないのではないか？」。日本車を高く評価しているが、そこに愛はない。

彼の言葉の裏には、イタリアにはフェラーリ、ランボルギーニ、マセラッティ、アルファロメオ……と美しさとセクシーさで世界のカーマニアを魅了するクルマがある、との自負が

隠れている。

日本のクルマは部分と全体をつなぐ力が弱い、とベッティオーリは判断しているわけだが、これは本来、論理で結びきれない部分を生まじめにつなごうとし、そのために無理が生じてつなぎきれないと解釈してよいだろう。本来、論理ではなく、直感・センスという次元でつながると自然な部分である。

イタリア人はエラスティコを基調として部分と全体のつなぎ方が上手い、とベッティオーリは語っている。

アルティジャーノへの憧れ

イタリアの企業人が「アルティジャナーレ」を自分たちの資産として強調したい要因は、他にもある。

この言葉には「アルテ」（Arte、英語のアート）が含まれる。アルテとはもともと技巧という意味であったが、近代以降そこに美を表現する術という意味が加わり、いわゆる芸術を意味するようになる。すなわち、技巧と美はアルテという言葉をつうじて語源的につながっており、**アルティジャーノの仕事はアートの世界の考え方を含んでいる**、とイタリアの企業人は

考えている。

たとえば、一五世紀のルネサンス工房に遡れば、これらの二つの意味が、まさしく概念として同居していた。レオナルド・ダ・ヴィンチの活躍でご存知の通り、ルネサンス工房は建築・機械などの設計もこなす拠点だったわけで、モノの対象が絵画であれ彫刻であれ、あるいは家具であれ、それらをデザインし、作る人の間に明確な区別はなかった。ルネサンスのアルティジャーノはビジョンをつくる人であった、と指摘する研究者もいる。現代のアーティストの役割と考えられている部分をアルティジャーノが担っていた、と。バウハウスの創始者グロピウスの言葉に「パワフルなアルティジャーノがアーティスト」という表現があるが、ルネサンス工房に源流を求めると納得がいく。

しかし、近代以降にアーティストという名の専門家が誕生し、ルネサンス時代のように、アーティストとアルティジャーノをアイデンティティの面で同一視するのは難しくなる。現代においてアーティストは新しい概念やビジョンをつくる人とイメージされやすいが、アルティジャーノはどちらかといえば古い概念やビジョンを手の技で維持する人と考えられることが多い。その文脈からすると、アーティストが指示を出す立場と考えられやすい。商品の企画をする人がアートディレクターと呼ばれるのも、この考え方の範疇に入る。しかしながら、手で作るプロセスが重視されている現場では、今も感覚的に両者の一体感は強い。

イタリアのビジネスパーソンと話をしていると、「われわれはルネサンスという大きな文化運動を生んだ国の子孫なのだ。理想的なオーガナイゼーションは、アートや科学の領域を超えたルネサンス工房にある」とのセリフをよく聞く。ゼロからビジョンを生みだし、手を使って何かを共同作業で作りあげる姿が目指すべき「近しい」モデルとして、ルネサンス工房がいつも頭のなかにあるのだ。そのためアーティストやアルティジャーノに対する敬意が強く、現代に生きる自分たちもその本流にいることを殊のほか意識するのである。

アップデートされる「アルティジャナーレ」

パドヴァ大学のベッティオーリの言葉にもあったが、グローバルな状況を巨視的に見て、モノやサービスにいわゆる「人肌」を求める趨勢は強くなっている。一方、イタリアの文化では、「人はロボットではない」ことを常に強調する。つまり、時代はアルティジャナーレに追い風なのである。ここからマスプロダクションをどうパーソナライズするか、という方向が検討され、そのプロセスにおいて、「アルティジャナーレ」が積極的に活用されるとの議論がイタリアでは展開されている。

だが、単純にパーソナライズする箇所（たとえば、ファッションであればシャツのポケットだけを

特別な仕様にする）を手作りでやる、という狭い意味ではなく、アルティジャナーレであることを今の時代に合わせてどう定義するか、これが意見交換されていることに見るべきポイントがある。

ヴェネツィア大学の経営学の教授であるステファノ・ミチェッリは、新しい「アルティジャナーレ」を模索する著書[*1]を出している。そこで彼は、欧州におけるクラフツマンシップを中世からの社会・文化的な役割で論じる一方、米国の社会学者リチャード・フロリダが唱える知的生産の最前線にある「クリエイティブクラス」を引用しながら、アルティジャーノをクリエイティブクラスの一員として位置づける。さらに、米国「ワイヤード」の元編集長・クリス・アンダーソンが口火を切った、ＣＡＤや３Ｄプリンターなどデジタルツールの利用による「メイカーズムーブメント」とイタリアの職人仕事を結びつける。ここからも、アルティジャーノを伝統的な素材や技術で活動する領域とは区切っておらず、その行動規範・特性や思想を重視していることが分かる。「アルティジャナーレ」と形容詞として多用されるのも、この言葉の性格を物語る。

新しい時代のアルティジャーノ／職人像が、このように議論されていること自体が、エラスティコの文化ゆえともいえる。**ある言葉の一つの定義である現象を包括できなくなったら、安易に新しい言葉を生みだすのではなく、その言葉の歴史も顧みながら定義自体を徹底して**

見直そうとする。「伝統芸や職人技は継承されるべきもの」と、一方的に語られているわけではないのである。

さらに、それは、中規模生産は上からよりも下からいった方が良いという点において、日本のビジネスパーソンにも大いに参考になる。

小さいサイズを中規模にもっていく有利さ

イタリアで語られる「工業」や「量産」という言葉にたいし、日本語と同じイメージをもってはいけない。極端にいうならば、機械を使って同じモノを一定数生産すれば、イタリアではすべて工業的量産である。

数の大小は業界によっても異なるから、イタリアでも日本でも「何十万個であれば量産であり、何十個であれば量産でない」との見方はとれない。しかしながら、一般に大企業の大量生産を真っ先に連想するのが日本のビジネス土壌なのに対し、イタリアでは中小企業の中規模量産も含まれる。

量産＝大規模量産という発想が、日本の大企業がカスタマイズやパーソナライズの可能性を探る際に、事態を難しくしている。一つは量のサイズ感をどうやって得るかという問題で

ある。低価格の大量生産品と高額のブランド品が市場を二分化したなかで、適当な価格帯の中規模量産というサイズへの勘がつきにくい。それでは、どうすれば良いか。

少ない量を増やしていく方が、多い量を減らしていくよりも学習が容易だ。量を増やすには生産効率が問題になるが、量を減らすには製品の質がテーマになる。ここで質とは何を指し、それにふさわしいコストレベルとは何か、ということが問われる。数を増やしていくことよりも難題だ。

これらのテーマをひたすら考え続けてきたのが、イタリア中小企業である。手仕事による生産プロセスに価値をおき、しかしながら、月一桁や二桁の生産数量に甘んじないロジックをつくりあげる。

このロジックをつくりあげる際の礎にある手仕事の世界を、日本の大企業の多くの企業人は「工芸品の工房の話でしょう（われわれは世界に誇る自動車産業の数量レベルで商売しているのだ！）」と自分たちとは別次元の話として片付けてしまっている。あるいは「家内制手工業には興味ありません」と踏み込まない。他方、中小企業の企業人は、大企業に追随することを安全策と見なすから、ロジックづくりにはあまり積極的になれない。そして職人たちは精神性の次元で勝負するものだと思い込んでいる。

二つ目は、この二つのタイプの間にある空白地帯を見ることだ。

カスタマイズやパーソナライズで表現する価値が、機械生産プロセスからだけでは見いだしにくいことに気づく必要がある。大量生産からのパーソナライズは「生産体制を考慮しながらユーザーに合わせる」ことであり、発想のもとに生産効率への優先がある。だからユーザーもなんとなくよそよそしさを感じる。「これって、私に合わせたつもり？」と文句を言いたくなる。

一方、最初のコンセプトが極めてパーソナルな感覚に基づいているモノは、中程度の量の製品であっても「こんな希少性の高いモノを手にできる！」との評価を得やすい。これが作った人の顔が見えると思わせるテイストであり、ユーザーを人としてよく分かっていると思わせるムードである。

イタリアの中小企業が海外市場で存在感があるのは、前章で述べた意味のイノベーションの得意さに加え、この「アルティジャナーレ」の定義のゆるやかさとその運用に秀逸である、というのが私の仮説である。

＊1：Stefano Micelli, *Futuro artigiano: L'innovazione nelle mani degli italiani*, Marsilio, 2011

第3章

世界における「メイド・イン・イタリー」の存在感

「メイド・イン・イタリー」への注目度は伸びる一方

序章において、「メイド・イン・イタリー」は検索エンジンで生産国名として突出した人気を誇り、アマゾンでも存在感を放っていると記した。第1部の最後により詳しく説明しておこう。

まず、グーグルで「Made in Italy」という語句が、この約五〇年間、英語の本で使われている頻度を追ってみた。以下のグラフに見るように、一九九〇年代の一時期を除き、一九八〇年代前半からほぼ一貫して上昇している。

ミラノにあるボッコーニ大学で経営史を教えるアンドレア・コッリは、このグラフなどを参

照しながら、「メイド・イン・イタリーは国内外で関心が高いテーマ」と語る。

経営学は一九世紀後半から二〇世紀初めにかけて、米国が先導する第二次産業革命を理論的に裏付け（権威付け）、大きな組織で大量生産を効率よく行うために誕生し、その影響力を拡大した。こうした大規模ビジネスをベースにした経営学に長年、反発を重ねてきたのがイタリアのビジネスパーソンたちだ。そのイタリアが「メイド・イン・イタリー」の枠組みで評価を受けている。これがコッリの説明である。イタリアがブランドとして存在感がある、その背景を探るのが彼の研究テーマである。

もう一つのデータでその存在感を確認してみよう。グーグルトレンドで、欧州四大経済国である英仏独伊の「メイド・イン・国名」の検索回数の比較である。これは、すべてのジャンルにおける、二〇一二年以降のここ五年間のウェブ上の人気推移だ。ここから、イタリアがほぼ安定的に上位にあるのが分かる。ある特定の時期にドイツとフランスが上回ることがあるが、それ以外の時期はイタリアがトップをキープしている。このグラフからメイド・イン・イタリーが検索にあたって、注目度の高いキーワードとして使われているのが分かる。

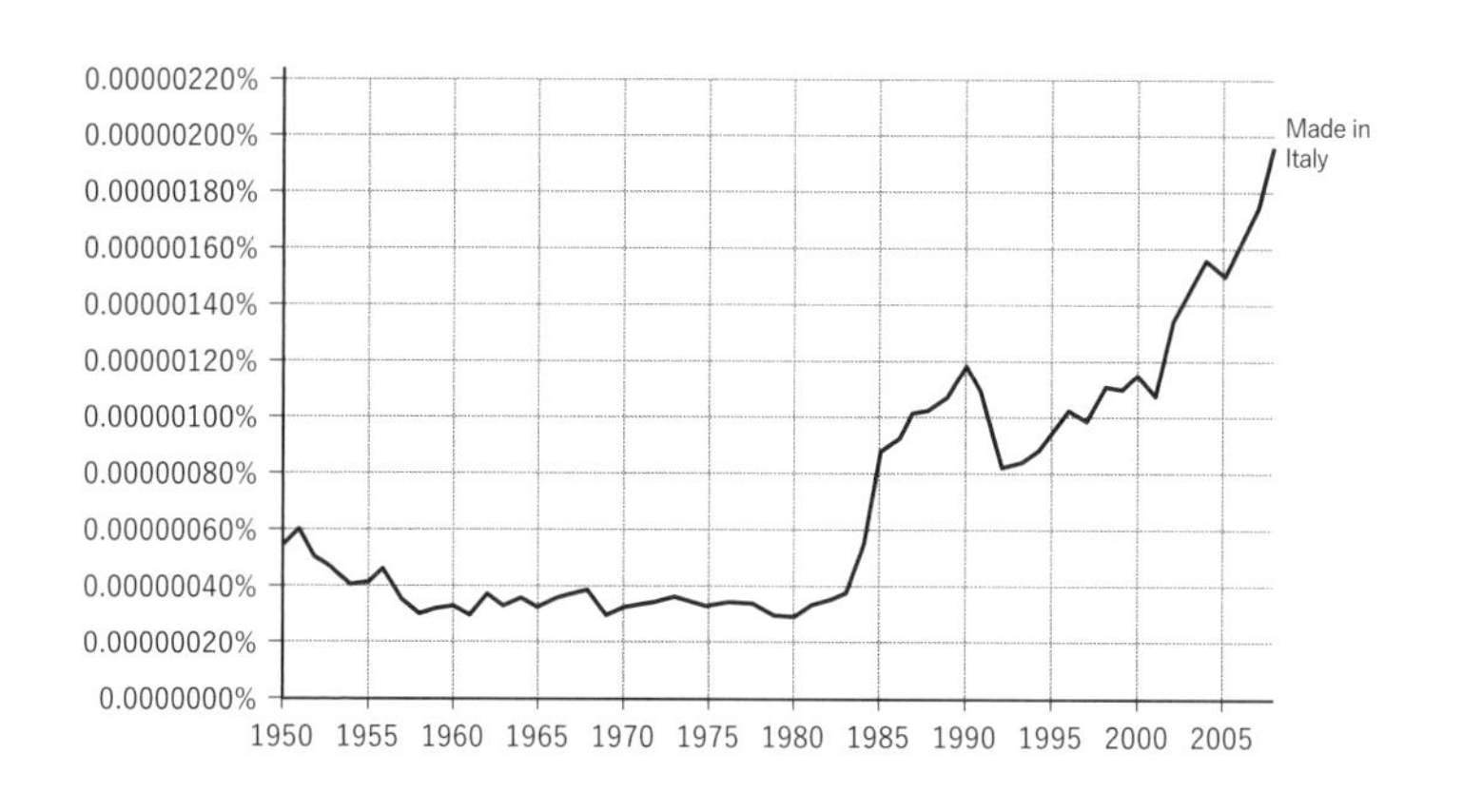

英文献における「made in Italy」の登場回数の変遷（1950－2008）
参照:Google Books Ngram Viewer

アマゾンの「メイド・イン・イタリー」展開

このメイド・イン・イタリーの人気度の高さに呼応したビジネスをしているのがアマゾンである。アマゾン・イタリアのサイトにおいて、その名も「メイド・イン・イタリー」というカテゴリーがある。扱われている商品は、インテリア、ファッション、ジュエリー、靴、セラミック、文具、バッグなどである。

このページの特徴は、街や工房を映した動画があり、その場に立ち会った感覚をもって購入できる点にある。トスカーナ州やサルディニア州といった土地を、動画で旅しながら、工房を訪ね職人の仕事ぶりを見て商品を購入する、と

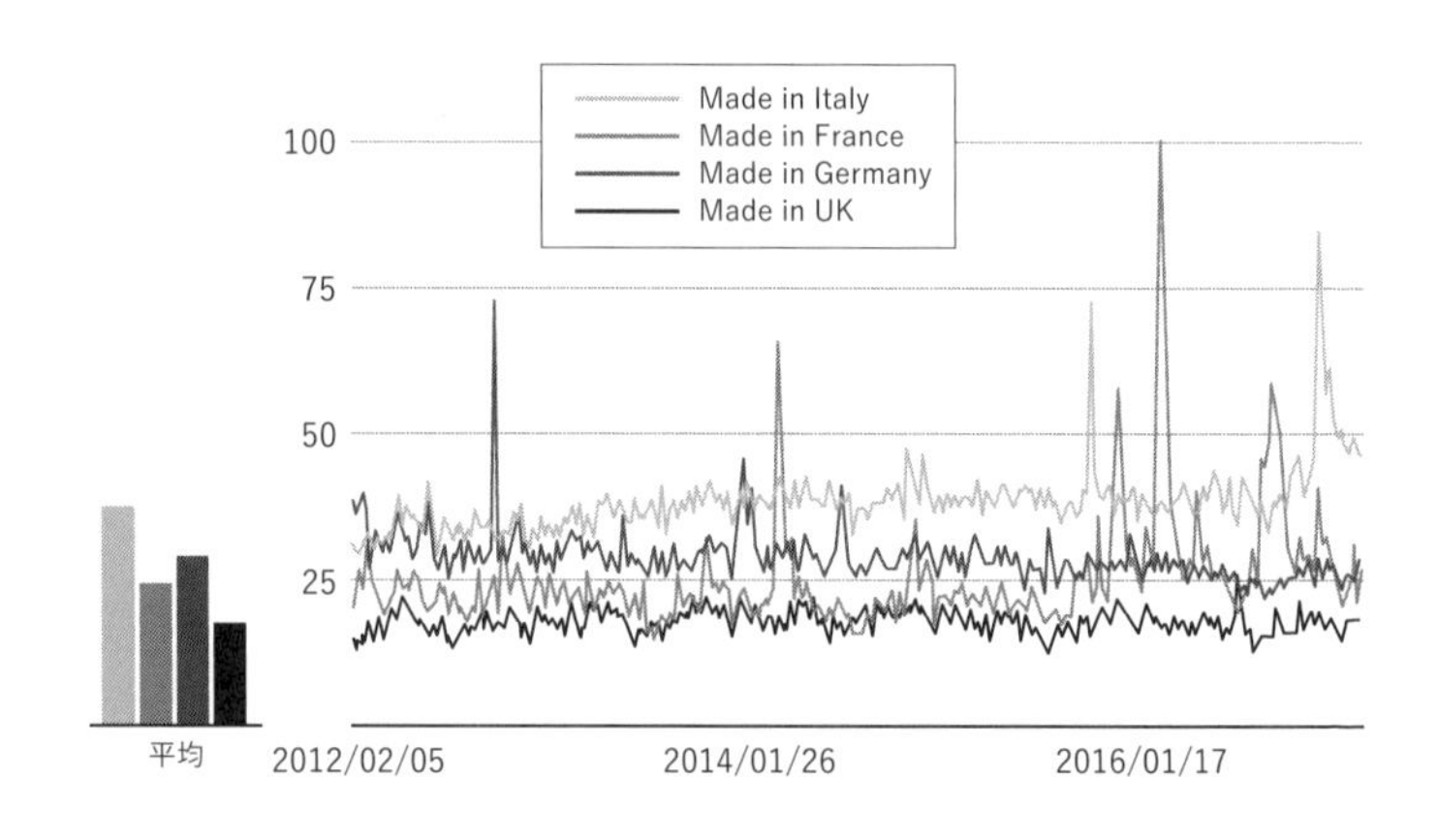

「made in 国名」の人気度比較　参照：Google Trend

いう選択ができるのである。

アマゾン・イタリアの商品サービスマネージャーのジュリオ・ランプニャーニに、このサービスの成立背景について聞いてみた。

「二〇一五年一〇月にサービスを立ち上げました。米国の本社からの提案でも、イタリアの輸出促進の政府機関の要請でもなく、ミラノオフィスのクラフト好きの若手社員が自主的に話し合ってできたプロジェクトです」とのこと。社内の自由闊達な雰囲気を感じさせる。

「あるコンサルタント企業の調査によれば、メイド・イン・イタリーはコカ・コーラに次ぐブランド認知度があり、とてもよく検索されている『メイド・イン・国名』なのです。ですから、こういう強みを活用できないか、と考えたわけです」。

「メイド・イン・イタリー」サービスがスタートして約半年後、二〇一六年五月六日付の日刊経済紙『イル・ソーレ・24オーレ』のデジタル版にアマゾン・イタリアのカントリーマネージャー、フランソワ・ヌィッツは、「過去一二カ月、アマゾンで輸出をした企業数は一三五%以上の伸びを示しており、一億六五〇〇万ユーロ以上の輸出売り上げになっている」とのコメントを残している。ランプニャーニによれば、二〇一七年二月初めの時点の出品数は「およそ五万点で、工房の数は四〇〇軒」とのことである。

このアマゾン・イタリアの試みが評価され、他国のアマゾンサイトにも拡大した。同カテゴリーは、イタリアはもとより米国、英国、フランス、ドイツ、日本のサイトにも存在する。結果、「メイド・イン・イタリー」は、どこの国のアマゾンサイトでも押しなべて目立つ存在になった。

「ハンドメイド」というカテゴリーを確立

アマゾンの「メイド・イン・イタリー」カテゴリーに入る条件は、主要な素材がイタリア製であり、手仕事を基本として作られたモノだ。食品の場合であれば原産地認定、職人芸によるモノであれば各協会が認めた素材やプロセスによるものなどである。前章で説明した

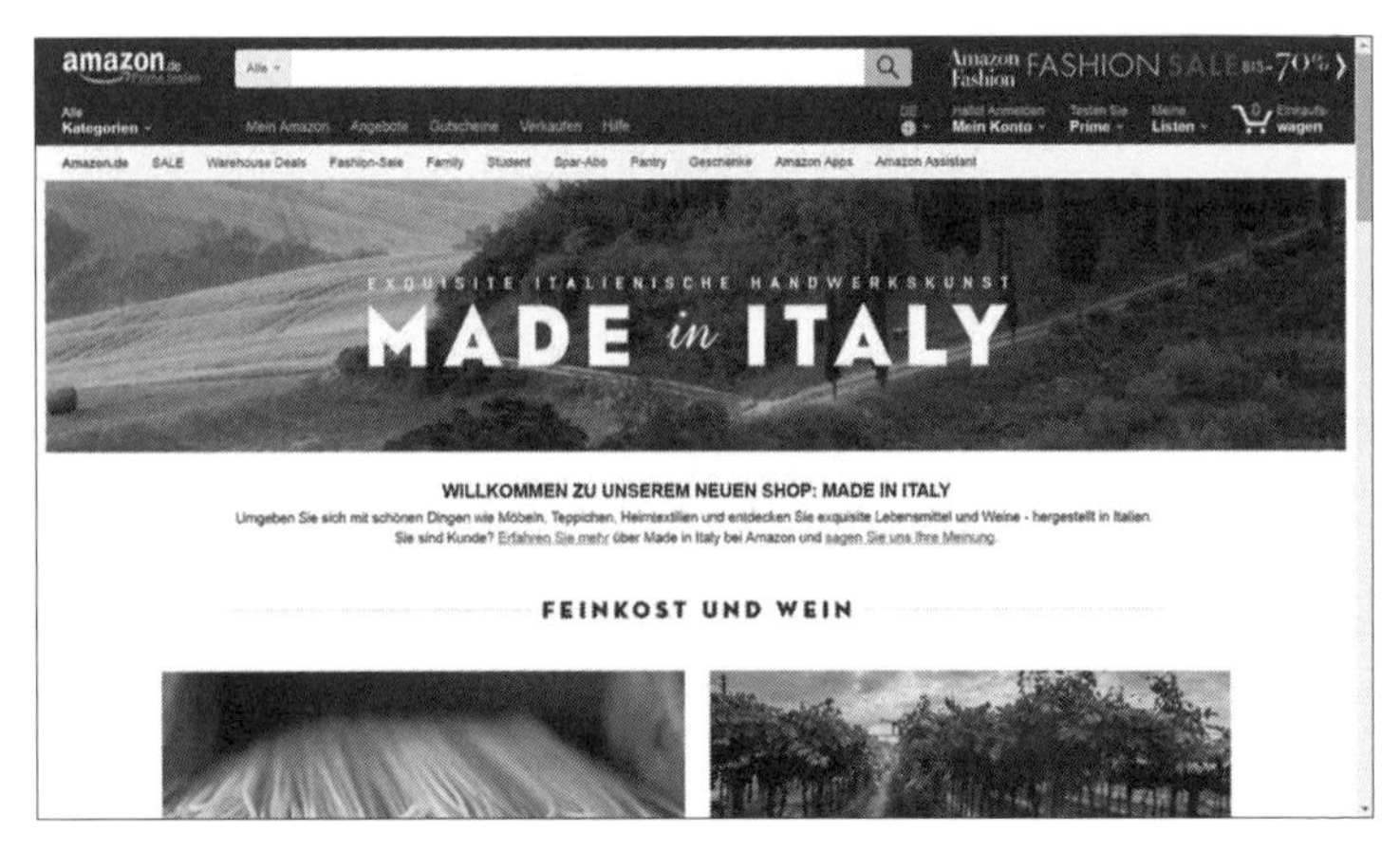

アマゾン・ドイツにある「made in Italy」のカテゴリー

「アルティジャナーレ」と呼ばれる範疇のコアに位置する商品である。

アマゾン・イタリアの試みは、他地域のアマゾンサイトに広がっただけでなく、アマゾンに「ハンドメイド」というカテゴリーをつくるのに貢献した。次ページ画像は英国サイトであるが、このページの左端に職人の場所（Artisan Location）との表記がある。ここに国ごとの出展工房数がでてくる（矢印の箇所）。この「ハンドメイド」と「メイド・イン・イタリー」は定義が異なる部分と重なる部分があるが、「メイド・イン・イタリー」の要素を他国サイトに適用したのが「ハンドメイド」である。つまり、アマゾン・イタリアが手作り商品販売のトレンドを作ったのだ。

特筆すべき点は他にもある。イタリアが強みとする手作りの分野で新たなカテゴリーのリードを

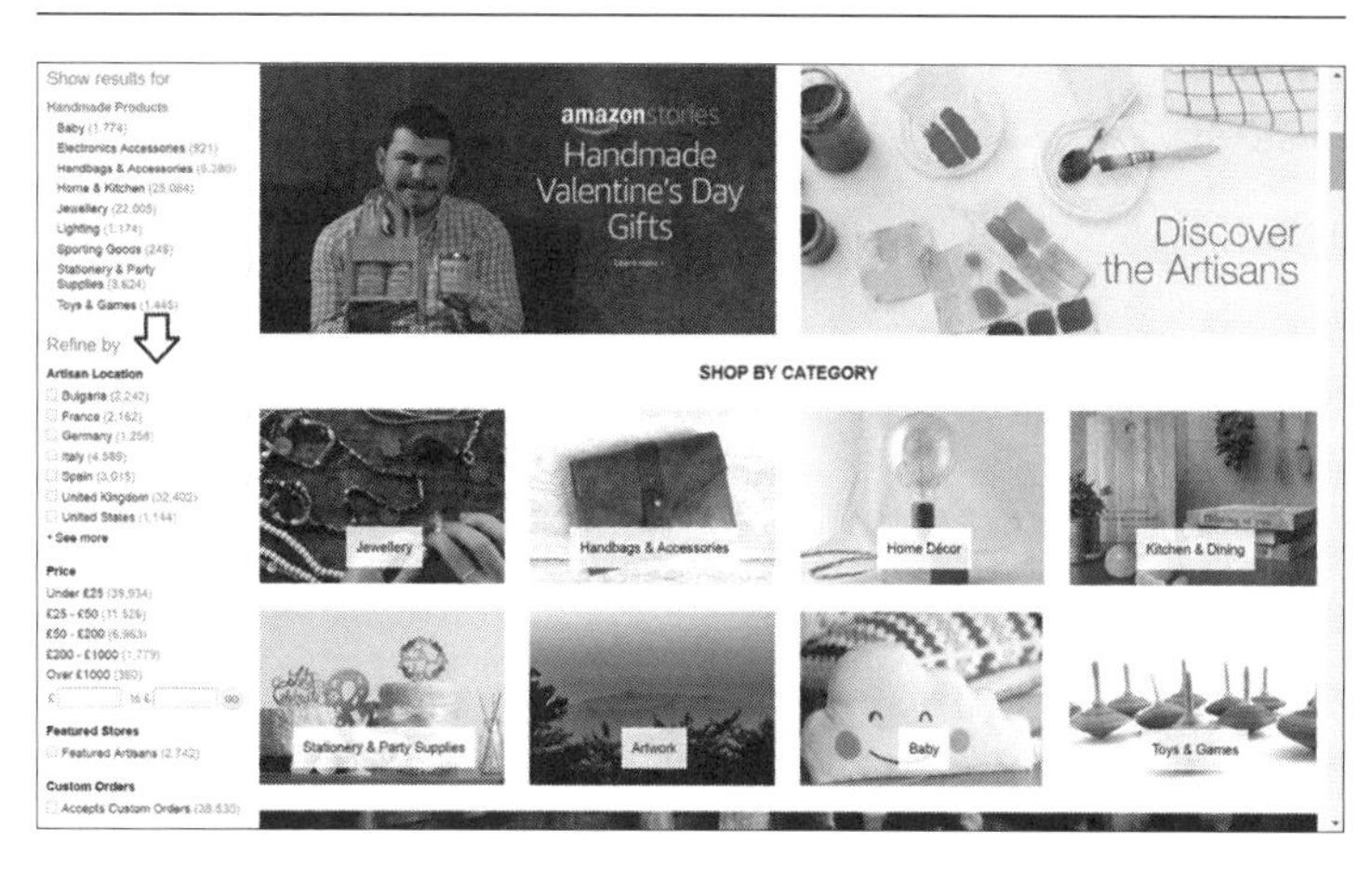

アマゾン・イギリスにある「ハンドメイド」のカテゴリー

図っただけでなく、アマゾンユーザーが期待する品質の許容範囲の変化も促したのである。アマゾンは大量生産の均一的な品質を確実に配送することで信頼を得てきたが、ハンドメイドの品質にバラつきがある商品もクライアントが受け入れる、との確証を掴んだのだ。

「バラつきのある製品を扱うことについて、たしかに議論はありました。しかし実際にはじめてみると、思ったよりクレームや返却率が少なかったのです。アルティジャーノの品質は一つひとつが違う、ということをお客さんが理解してくれていたと分かりました」とランプニャーニは語る。

東京の大手デパートに陳列して売られる商品は、目につきにくいところでも傷があればクレーム対象になりやすい。しかし同じような商品がフィレンツェの個人商店で売られていた場合、その傷は

ローカルテイストと見なされトラブルになりにくい。明らかに、人はコンテクストによって品質への見方を変えているわけだ。アマゾンという世界一大きなオンラインサイトにたいし、通常であれば客は均一の品質を期待するが、イタリア経験がバーチャル上でも実感できれば、客はアルティジャーノのバラつきのある品質を受け入れるのである。

アマゾン・イタリアの「メイド・イン・イタリー」プロジェクトが、アマゾンというプラットフォームの意味を変えたといっても、大げさではないかもしれない。

小さな工房がＥＣに打って出る

これまで述べたようなアマゾンの実績を見ても、イタリアのハンドメイド製品への評価は高い。とはいえ、インターネットを得意とする工房が、機転を利かせてオンライン上に「手作りマーケット」をつくっているわけではない。この現実に、逆に見るべき点がある。

「正確なデータをとったことはないですが、このプロジェクトに参加している企業や工房の半分以上は自社サイトをもっていないと思います」とのランプニャーニの説明が、零細中小企業のデジタル化の現状を物語っている。つまりアマゾン版「メイド・イン・イタリー」の快進撃は、これまでのイタリア産モノづくりにおけるリアルな世界での実績がものを言って

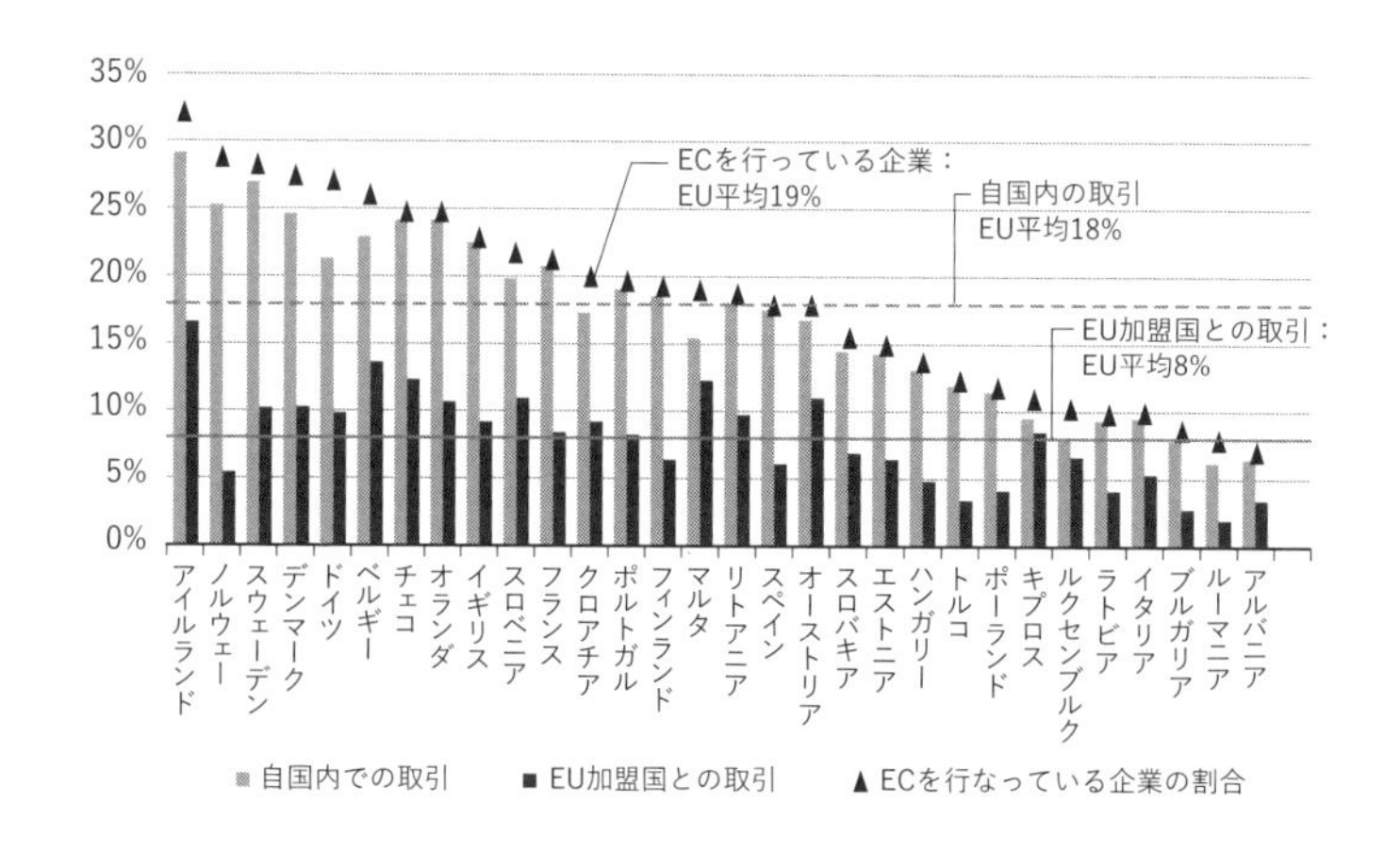

ヨーロッパ各国の企業のEC参入率のデータ（2015）

いる、と解釈できる。

　そこで欧州のイーコマース（EC）の現状とイタリアのそれの位置を見てみたい。欧州連合の統計局ユーロスタットにECのデータがある。これはEU二八か国にトルコとアルバニアを加えた、企業のEC市場への参入率を示している。薄い棒グラフが自国市場で販売している企業の割合を示し（たとえば左端のアイルランドは三〇％近くの企業が自国内市場を相手にしている）、濃い棒グラフがEU加盟国の市場に販売している企業の割合である（アイルランドの一六％の企業が国外市場に進出）。EU加盟国市場への進出は「平均八％」ということになる。この数字は何を表しているのだろうか。

　EUの強みはヒトとモノの移動の自由であり、また義務教育における複数の外国語の習得であ

	ECの利用率（%）			売上に占めるECの割合（%）		
	2011	2013	2015	2011	2013	2015
全企業	16	18	20	15	15	16
大企業	39	40	42	21	20	23
中企業	24	25	28	11	11	12
小企業	14	16	18	5	6	6

大企業=従業員250名以上（3%）

中企業=50-249名（14%）

小企業=10-49名（83%）

*カッコ内は従業員10名以上の総企業数を母数にした各企業規模の割合。

EUにおけるECの企業規模別の普及率

る。日々異文化に接することが多く、国境を越えた文化差に馴れていると考えられている。こうした事情があるにもかかわらず、ECの国境越えは楽ではない現実がグラフから見える。企業側の負担もさることながら、消費者が見知らぬ外国のECサイトを使うことを信用の面から危惧し、母国語で読めない面倒くささなどから敬遠していると想像される。

これらが「平均八%」の背景であると思われる。だが、そのなかにあってイタリア（データ内表示で右から四つ目）はおよそ五%と、さらに低い。そもそもイタリアはEC市場において「後進国」であり、EU平均で一九%の企業がECを利用しているのに対して、イタリアはわずか一一%である。そのうちの五%しかイタリア外のEU諸国と取引を行っていない。

もう一つEUのデータを出そう（前頁）。左側がECを利用している割合を、右側は売り上げに対するECの割合を示している。

欧州全体でECを実施している企業が二〇一五年においては、二〇％である。内訳は、大企業で四二％、中企業で二八％、小企業で一八％となっている。これを売り上げに対するEC比率を見ると、全体で一六％、大企業は二三％、中企業で一二％、小企業では六％となる。すなわち、イタリア企業はオンライン上での存在感が低いにもかかわらず、「メイド・イン・イタリー」は各国アマゾンで存在感を放っているということである。その中心をなしている小さな企業は、EUのデータに入っていない一〇人以下の零細企業である可能性も高い。そして、それらの企業が基軸としているのが「アルティジャナーレ」なのである。「アルティジャナーレ」がもつ潜在力の大きさが、ここから見てとれないだろうか。

それでは次に、「アルティジャナーレ」と中小企業という組み合わせが、イタリアの経済で重要な位置を占めるに至った歴史と背景を追ってみよう。

いつから中小企業が注目されたのか？

第二次世界大戦後、イタリアの大企業は政府に守られた国内市場を中心に活動せざるをえ

ず、エネルギー、通信、鉄鋼、化学といった分野においても国の政策・資本が入っていた。そうではない大企業、たとえば自動車のフィアットやタイヤのピレッリのような会社もあったが、世界の強豪と互角に戦うには力不足の感が否めなかった。そのため国を越えて存在感のあるイタリア大企業は、皆無に等しかった。

しかし、一九七〇年後半以降、変化が現れてくる。海外市場でイタリア企業が目立つようになってきたのだ。その大半は、中小企業であった。流動する市場の需要に合わせ、柔軟で迅速に動くことができたからである。イタリア文化に特徴的な柔軟性（エラスティコ）と、企業サイズの小ささが、時代の要請に適合しやすかったのだ。

また、一九七〇年代から一九九〇年代にかけては、地域ごとにある産業集積地が注目を浴びた。それぞれの地域で中小企業が近隣の企業と連携し、コーディネーターが活躍して製品を作り上げるという仕組みである。ブリアンツァの家具、ウディネの椅子、サッスオーロのタイル、プラートの繊維というように、地域ごとに得意とする商材があり、そうした商材を武器に海外市場に果敢に飛び込んでいった。

本章の冒頭で示した、英語文献におけるメイド・イン・イタリーの頻出率が、一九九〇年代に急上昇しているが、この期間の成果が時差をもって注目を浴びたといえる。ただ注意すべき点もある。すべての産業集積が戦後の産物というわけではない。一七〇〇年代、すでに

ピエモンテ州のビエッラやトスカーナ州のプラートにはテキスタイルの産業集積が見られた。そしてそれを上手く使いこなす文化的土壌があった。

ボッコーニ大学のコッリは次のように語る。

「イタリアの企業史を理解するために、ルネサンス以降の経緯で知っておくべきなのは、第一に農業の重要性です。食材だけでなくテキスタイルの素材など産業の原材料をつくり、それを地域外に販売するという役割がありました。

一方、都市には貴族などに衣類や雑貨などを提供するアルティジャーノの小さな工房がありました。そして、これらの流通にかかわる商人が存在しました。売るのが上手いというのは、イタリア人の性格がシステムにでています」。

各国の経営学者たちもイタリアの産業集積地を研究対象とした。「イタリア式経営」として海外から熱い視線を受けるようになったのである。一九九〇年代、当時の米国大統領ビル・クリントンはイタリア型モデルに注目し、これを参考に中小企業のネットワークの効用を説いた。

しかしながら前世紀後半から今世紀はじめにかけ、中国をはじめとする新興国への生産地移転の流れがはじまると、この勢いに抗することができないイタリア企業が相次ぎ、世界規模でコスト競争に翻弄されていった。また、産業集積地のコンセプトも米国発の「産業クラ

スター」や「エコシステム」の表現のもとで、イタリアの文脈から離れていった。

今世紀に入ってイタリアでより注目を浴びているのは、産業集積地の中小企業が成功して中堅となった企業である。アマゾン・イタリアのデータに見るように、面白い中小企業の活躍のネタには事欠かない。

それにしてもイタリアにおいて小さな企業サイズが、どうしてこれほどにテーマになるのだろうか。

「イタリア＝中小企業」は政治的産物か？

イタリアの中小企業の発展を語るにあたって、アンドレア・コッリとアルベルト・リナルドの論文「イタリア的さまざまな資本主義（一八六一－二〇一一）――〝偶然の豊かさ〟[*1]」を参照しながら話を進めよう。

以下の表は、コッリとリナルドが引用しているレナート・ジャネッティとミケランジェロ・バスタの『製造業の歴史』[*2]を元に筆者が作成したものだが、次のようなことが見えてくる。今世紀に入って五〇〇人以上の企業が一〇％を切っているが、第二次世界大戦後には二五％を越えていた。特に一九八一年以降の減少が激しい。冒頭に述べた産業集積地の興隆

従業員数	1927	1937	1951	1961	1971	1981	1991	2001
1〜10	35.7	35.2	31.9	28	23.5	23.4	26.2	25.9
10〜50	14.4	12.3	14.1	19	21.2	26	31.7	33.4
51〜100	7.5	8.1	8	10.1	10.3	10	10	11.3
101〜500	22	20.8	20.5	21.5	22.3	21	19.2	19.9
500〜	20.4	23.5	25.6	21.4	22.7	19.5	12.9	9.6
合計	100	100	100	100	100	100	100	100

イタリアの製造メーカーの規模と従業員数

は、上記における一〇－五〇人の企業が主人公であった。そこには語るべき背景がある。

戦後、「小企業は人間的で、労働者の尊厳がより保護されている企業体である」との政策がとられたのである。具体的には、当時、政治的勢力をもったキリスト教民主党が、小企業と熟練したアルティジャーノの経済的な自立を、理想の姿として社会に普及させたのである。

技術的進化を大規模生産工場が享受する特権と見なすのではなく、小企業もその恩恵を受けることができ、しかも小企業が大企業の下請けとしてではなく、経済・社会発展のために望ましい欠かせない要素である、と強調したわけだ。この考え方に基づいて、政府は多くの人たちが企業の経営者になれるような法的整備を図った。さらにいうと、零細企業を優遇するために税金控除も実施され、「小さい企業である方が便利で得である」との考え方も後押しした。現在、日本で定着している言葉でい

うならば、「スタートアップ促進政策」「職人育成」「ワークライフバランス政策」が、イタリアの中小企業文化をつくったことになる。

これが一九七〇年代以降に世界各国で生じた変化に対応するに、抜群の環境を用意した。つまり「大量生産品から、カスタマイズされたスタイリッシュで高品質の商品に対応する少量生産へのシフト」がおこり、個人や家庭が使う製品など、高度な技術をさほど必要としない領域において、イタリアの産業集積地とそこにある「アルティジャナーレ」を有利に導いたのである。

すなわち、意味のイノベーションを実施しやすい土壌ができたのだ。

一九六〇年代までの高度成長を支えた大量生産システムが行き詰まり、それまで地道にやっていた産業集積地の企業力をローマの中央政府が「発見」したところに、リラ安を背景とした「メイド・イン・イタリー」の進撃がスタートした、といってよい。「メイド・イン・イタリー」は大きな産業構造の変貌の賜物であった。

「意味のイノベーション」×「アルティジャナーレ」の強み

ここまでの議論をまとめよう。

メイド・イン・イタリーは英語の書籍でも言及される率が一九八〇年以降、上昇しており、かつ検索エンジンでも検索される頻度が高い。いわばブランドの一つとなっている。

この資産を背景に新しいビジネスを構築したのが、アマゾン・イタリアのクラフツマンシップ好きの若手社員たちだ。彼らの発案で、「メイド・イン・イタリー」というカテゴリーができた。これは成功し、他国サイトにも同名カテゴリーは広がる。また、「ハンドクラフト」という「メイド・イン・イタリー」に近い他国製品カテゴリーも創設されることになった。

ここで注目するべき点は二つあり、一つはアマゾンの「メイド・イン・イタリー」に出店するのは、自社サイトをもたないデジタル化が「遅れている」零細・中小企業も多いということだ。二つ目は供給する商品は品質にもバラつきがあり、アマゾンで提供される製品は品質が均一というイメージを変えた。また、歴史的バックグラウンドを探ると、規模の小さな企業が存在感を発揮できているのは、制度的裏付けもあることがわかった。

第二次世界大戦後、政府の政策から自立した小さな企業の起業が促進された。その成果が一九七〇年代の社会の変化への対応を助けることになる。一九七〇年代、消費者が大量生産品に飽きがきた時、多品種少量生産が求められ、その時代の要請に上手く適合したのが中小企業である。それらは高度な技術をあまり必要としない分野で特に強く、具体的にいえば衣食住で用いられる製品であった。

手作業のプロセスに重きをおく「アルティジャナーレ」は、いくつかの側面で中小企業の躍進のベースとなる。製品開発においてはプロトタイプ製作のスピードや製品コンセプトの具体化で効率を発揮し、生産面では中規模量産という独自のボリューム領域をつくり、販売とブランド構築で利益幅を広げるのに貢献した。一方、デザインを経営戦略的にも使いこなすことに長けていた企業は、多大な投資をすることなく、新しい市場を意味のイノベーションをもって開拓した。

これらの二つの要素を、同時に上手く統合して新しいビジネスに挑んだ企業には、見るべき点が多い。実際に成功した事例がそれらの二つを常に意識していたかどうかは別として、結果的にポジティブな効果を生んでいたと判断できることは多い。

第2部以降では実際のイタリア企業を紹介していくが、これらを勘案しながら読み進めていただけたらと思う。

＊1：Andrea Colli and Alberto Rinaldi, 'The Italian variety of capitalism (1861-2011): "Wealthy by accident", *Quaderni del Dipartimento di Economia Politica e Statistica*, no. 664, Università degli Studi di Siena, Nov. 2012

＊2：Renato Giannetti, Michelangelo Vasta, *Storia dell'impresa industrial*, Il Mulino, 2005

コラム 1

「カシミアの帝王」はなぜ哲学書を読むのか？

「小さい頃、オリーブ畑で働きながらサッカーの試合実況をラジオで聞いたものです。その時にインテル・ミラノのファンになったのです」とブルネッロ・クチネッリ（一九五三‐）はスポーツ紙のインタビュー記事に答えている。約六〇年前、ウンブリアの青い空の下で、農民の親と働く子供の胸の内を想像した。

毎日、同じ服を着て貧しい農民と馬鹿にされていたが、いまや「カシミアの帝王」と呼ばれ、パリのエルメスと並ぶブランド力を誇るファッションブランドを築いている。日常生活で着るカジュアルなセーターが数十万円はする。英国のウイリアム王子やスターバックスCEO夫人など、ブルネッロ・クチネッリの愛用者リストをつくるとキリがない。

プライベートジェットで世界の空を飛びまわり、ベントレー・クーペGTを「リアのデザ

インが良いから」と愛し、『ニューヨーカー』や『ヴォーグ』など一流雑誌で私生活がまるごと紹介されている。サッカーチームのオーナーでサッカー場も所有している。

その彼の大きな邸宅の鉄の門には哲学者ソクラテスの言葉があり、オフィスの書棚にはカントやデカルトの本がならぶ。ミーティングではローマのハドリアヌス帝のエピソードを持ち出す。ルネサンス工房さながらにニットや左官の職人技を学ぶ学校と、ギリシアのアゴラのように教養を身に着けるアカデミアも運営する。

クチネッリはなぜ哲学や教養を学ぶことに価値を置いているのだろうか。まず彼の生い立ちから説明したほうが良いだろう。

貧しいながらも温かい家庭で育った。両親が声を荒げて言い合いをするような光景はなかった。しかしクチネッリが高校生の頃、父親がセメント工場の工員に転職したこと、そこから父親が疲弊していったことが、彼のその後の人生観を決定づけた。ある晩、父親が仕事からぐったりとした様子で帰宅した。

「仕事が辛いとか、収入が少ないと不満をこぼす父親ではないのですが、工場で周囲から蔑まされた扱いを受け、大きな精神的な打撃を受けていました。それで労働とはこんなにも辛い思いをしてやるものだろうか、という疑問が芽生えたのです。このころから働く人が自分に自信をもてるような仕事をしたいと考えるようになりました」とクチネッリは語る。

勉強が好きではなく、大学も中退したクチネッリであったが、この父親の経験から「人の尊厳とは何か？」を深く考え、カント、ルソー、マルクス・アウレリウスなどの哲学書を読み漁るようになった。一方、その後の妻となる女性が洋品店を開き、その手伝いをするようになる。一九七〇年代、ベネトンがカラフルなウールで世界を席巻していた。この成功を見てカラフルなカシミアを作れば売れるのではないか、と気づいたのが「ブルネッロ・クチネッリ」誕生の契機であった。

クチネッリは社員が自分の仕事を誇れるような環境をつくることにエネルギーと時間を費やした。「ビジネスの第一の目的な利潤を生み出すことです。それによって自分や家族が恩恵を得るわけですから、その恩恵は従業員や周辺の地域に還元しないといけません」と話す。実際、イタリアの工場労働者平均より二〇％高い給料を従業員に支払っている。また、地元のマンマの味を楽しめる社員食堂でゆっくりと昼食がとれるよう九〇分の休憩時間を設けたりもする。妻の出身地であった中世の荒廃したソルメロ村に本社をおいて、長い時間をかけ村そのものを再生してきた。

彼の事業が「倫理資本主義」と呼ばれる所以だ。彼のオフィスには書棚だけではなく偉人や賢人の肖像画が掲げられている。ソクラテスやアリストテレスはもとよりケネディ、スティーブ・ジョブズ、宮沢賢治……と、多岐にわたる。常にこれらの先人たちと対話している

のだ。

「毎年一〇数％の売り上げを伸ばす企業と、三〇％近く伸ばせる企業とでは経営の質が根本的に違います。ビジョンと人材、それに特定事業への集中、この三つが市場で成功する鍵だと多くの経営者は語ります。しかし、年三〇％にするにはこれだけでは不十分です。必要なのは、第一に敬意、第二に尊厳、そして第三にクリエイティビティです。また、真・善・美、この三つの要素が日常生活で役立つから利益が生まれるのです」と説く。

クチネッリにとって、哲学書を読むのは仕事なのだろうか、それとも趣味なのだろうか。

「趣味とは仕事では完全に満たされない内面を補いながら、『善き人』であろうとする自分を感じさせてくる行為と考えています」彼にとって哲学書を読むのは生き抜くために必要なことで、孤独に自分の内面と向き合う時間を与えてくれるものなのだろう。

衣食住にみる「メイド・イン・イタリー」

第2部

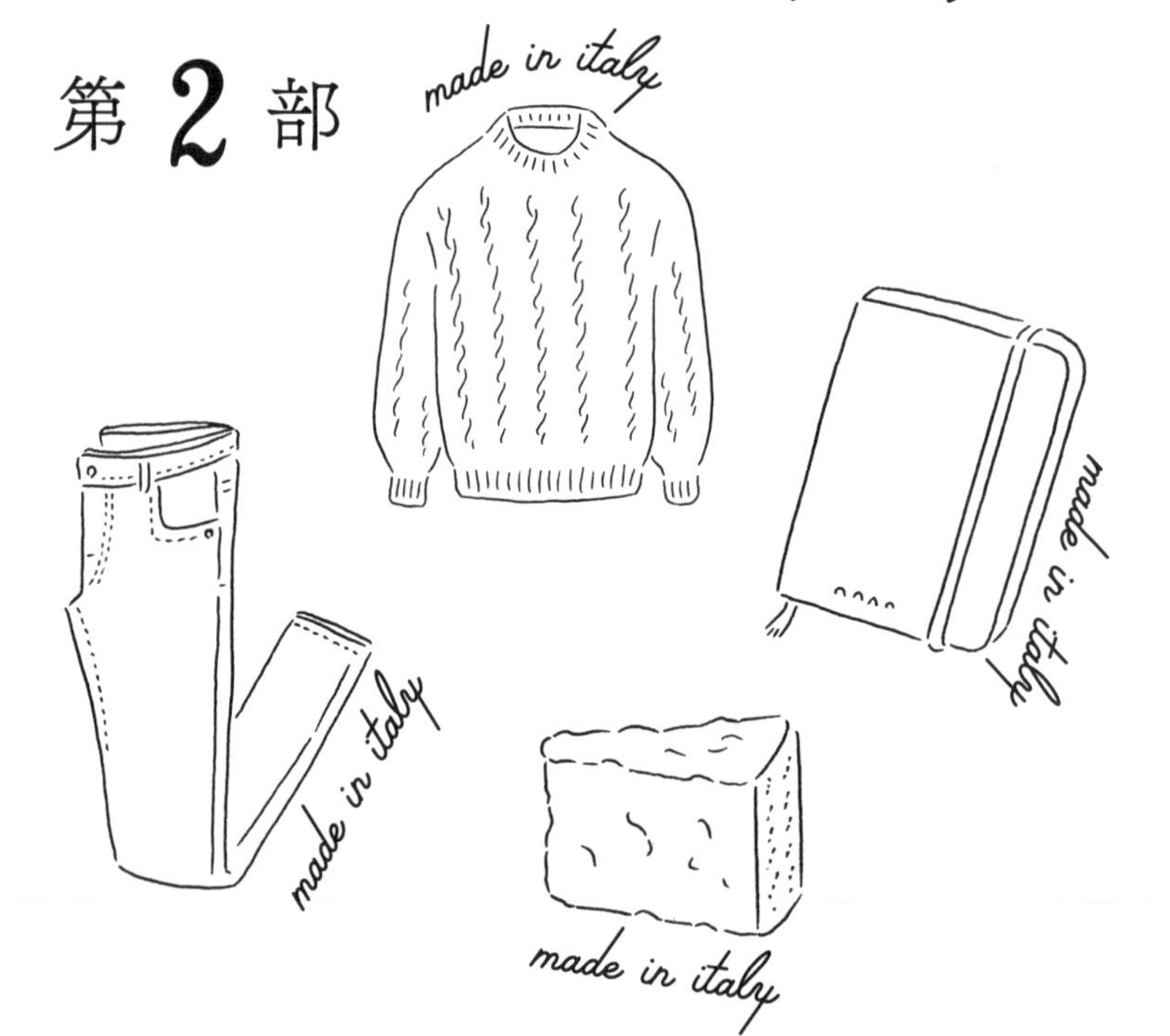

第4章

イタリアファッション産業の底力

紳士服とテキスタイル

衣食住に強い「メイド・イン・イタリー」産業のトップバッターとして、ファッションとそれを支えるテキスタイルの二つに目を向けよう。

イタリアは「ファッションの国」として世界的に名高い。これには二つの側面がある。一つはイタリア人一般のファッションセンスの良さであり、もう一つはビジネスとしてファッション分野が強いことを指している。

日本でイタリアとファッションといえば、アルマーニやヴェルサーチェ、グッチ、プラダといったモードブランドを思い浮かべられる方も多いかもしれないが、ここ十数年にわたっては紳士服におけるイタリアファッションの存在感が高まっている。また、国内外のモードブランドに生地を提供するテキスタイルメーカーも多く、トレンドの出発点となっている。そこで、

前者ではいわゆるモードとは異なるメンズファッション（紳士服）における意味のイノベーションを取りあげ、後者では、意味のイノベーションの基盤となる審美性に焦点をおいて話していきたい。

1 紳士服における意味のイノベーション

イタリアファッションの勢力図

スーツやジャケットなどのいわゆる紳士服において、その基礎をつくったのは英国であるが、イタリアはそれと並び称される関係にある。英国がクラシックスタイルだとすれば、イタリアは地中海の気候に合わせてカジュアルダウンするのがその特徴だ。同じファッションの国と喧伝されるフランスは、紳士服においてそういう位置にない。これが、イタリアのメンズファッションに注目する理由だ。

そのイタリアメンズファッション発信の拠点が、フィレンツェで年二回開催される展示会、

ピッティ・ウオーモである。イタリアでファッションといえば、真っ先に思い浮かべられるのはミラノだが、メンズファッションではフィレンツェこそがトレンドの発信地だ。世界の他の都市に先んじた男性ファッションの新コレクションの発表タイミングということもあり、その動向が注目されている。

来場するバイヤー数は国内外でおよそ半々。海外バイヤー数のトップランキングはドイツと日本が一－二位を争い、スペイン、英国、オランダ、フランスといった国が並んでいる。米国や中国からのバイヤーは一〇位前後でさほど高くないが、各メーカーにとって重要な輸出先である。それでは第二次世界大戦後のイタリアファッションの変遷を振り返りながら、ピッティ・ウオーモがなぜメンズファッションの発信地になっていったかを見ていこう。

イタリアファッションの歴史

イタリアのファッションシーンは、一九五一年のフィレンツェからスタートする。同市は中世の時代から現代に至るまで繊維の産地であるプラートを後背地としている。これが、フィレンツェが起点となった理由として挙げられ、オートクチュール・ビジネスの中心となった。その後、一九六七年、都市間のプロモーション力のせめぎあいから、オートクチュール

のショーはローマに移り、ニット製品のコレクションだけがフィレンツェに残り、影響力は二分される。

さらに一九七〇年代に入ると、ミラノがプレタポルテ（既製服）の世界で浮上してくる。イタリアが世界でファッション市場を先導する時代の幕開けだ。これには三人の代表的貢献者がいる。

一人目は、デザイナーのヴァルター・アルビーニ（一九四一－一九八三）である。彼は一九七一年秋冬向けのコレクションの発表を、フィレンツェやローマではなく、ミラノで行った。クリッツィアやミッソーニなどまったく個性の違う五つのブランドの新作のデザインを担当し、大成功を収めた。これがイタリア・プレタポルテ元年とされる。

アルビーニの業績は、国際的にはフランス全盛のファッション産業の拠点をミラノにも分散させ、国内的にはフィレンツェやローマからミラノに中心地を移したことだった。コモを中心にしたテキスタイル産地と距離的に近いだけでなく、近郊に生産機械メーカーが集中しているミラノの地の利が、ファッションの「産業化」に好条件だった。四二歳の若さで逝去したため、今では彼の業績を知る人も少なくなっているが、イタリアを世界のファッションの重要拠点に押し上げた最大の貢献者であることは間違いない。

二人目は、後にベネトンの広告でも名を馳せた写真家のオリヴィエロ・トスカーニ（一九

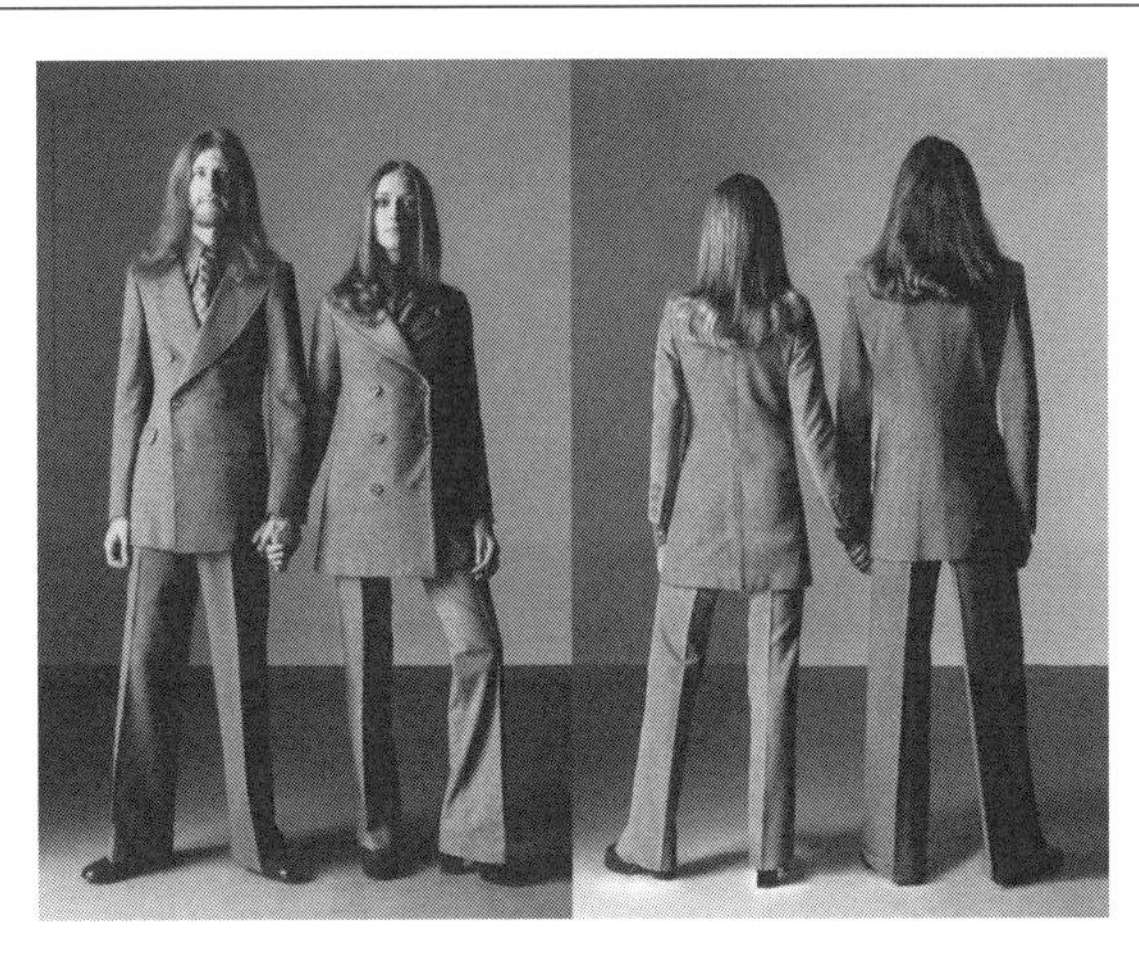

オリヴィエロ・トスカーニのユニルック

L'Uomo Vogue, December 1971-January 1972. Courtesy Condé Nast Italia Archive

四二－　）である。トスカーニは一九七二年、男性ファッション誌『ヴォーグ・ウオーモ』に「ユニルック。男も女も同じ流儀で」との写真を載せた。さまざまな男女の全身の姿が前後からモノクロで撮影されている。スーツを着た長髪の男女の姿は、どちらが男性か女性かは一目では判別しづらい。男女の性別を超えるとは何か、を強烈なメッセージとして伝えている。男女差をなるべく消すデザインをしていく意味を強調すること、これが、イタリアにおけるメンズファッションの強さに間接的につながっていく。このマニフェストの立役者がトスカーニだった。

三人目は、こうしたユニセックス的な発想を積極的に取り入れた、ジョルジオ・アルマーニ（一九三四－　）である。一九七五年に独立して

自らのブランドをスタートさせた彼のデザインには、男女を同じように見るデモクラシーの考え方がベースにあった。

ファッション批評家であるマリア・ルイーザ・フリーザとライフスタイル雑誌編集長のステファノ・トンキは二〇一八年にミラノで、イタリアファッションと文化を巡る大回顧展「イタリア的——一九七一年から二〇〇一年のファッションレンズで見るイタリア」を開催し、こう評した。「社会的政治的変化に合わせ、男性のように女性が着るのではなく、男性と女性のそれぞれのファッションにある要素を両方の服に適用したのが、ジョルジオ・アルマーニであった。ジュウシ・フェッレの言葉を使えば、アルマーニの〝ラディカル・ジェンダー〟は、イタリアファッションの大きな転換点の一つだ」[*1]（ミラノにあるアルマーニ博物館に行くと一九八〇年代からの紳士・婦人服が同じ空間に展示されており、この「デモクラシー」を目で確認することができる。同社の女性用スーツが女性の社会進出の背中を押し、女性エグゼクティブが愛用するスーツの代表がアルマーニとなった）。

こうしたイタリア国内のファッションへの考え方の変化や産業の変遷のなかで、一九七二年、フィレンツェで紳士服のコレクションが発表された。これは、世界初のメンズファッションショーであり、記念すべき第一回ピッティ・ウオーモであった。フィレンツェが紳士服に傾注することでファッション産業の一角を死守したとの面もあろうが、国内でパイを分け

合うことでお互い合意したと解釈するのが現実的だろう。

もともとクラシックスーツ中心だったが、最近ではアクセサリーやカジュアルなファッションの展示もある。また昨今は、日本のファッション雑誌でもお馴染みの、ファッションスナップが流行し、お祭り的要素も強くなった。

メンズファッションと「アルティジャナーレ」の関係

スーツスタイルの紳士服は、一般的に変化が乏しいと思われがちだが、同じ風景がイタリアにて展開されてきたわけではない。大きく、一九七〇年から二〇〇〇年前後まで、それから二〇〇〇年以降とに区切られる。

イタリア紳士服のリアルな変容の様子について、イタリアの大手ファッションブランドでチーフパタンナーをつとめる、ジョヴァンニ・パンディーニに聞いてみた。

「もとをただせば、英国のスーツは涼しい気候でビジネスをするために生まれたのにたいして、イタリアのスーツは暖かい南イタリアで貴族がゆったりと過ごすための服でした。したがって英国はカチッとしたシルエットになり、イタリアのスーツはソフトなつくりが重要視されました」。

イタリアのスーツはゆったりとしたシルエットを特徴としてきた。それぞれのパーツのサイズには遊びがあり、各パーツのつなぎ方もキッチリと縫うよりも柔らかめに縫うとされている。こうしたスーツは、イタリア語で仕立て屋を指すサルトリア（テイラー）の手によるもので、「アルティジャナーレ」を基本とする。たとえば、スーツやジャケットは製作にあたり、アイロンを使いながら生地を伸ばして縫製するところにノウハウがある。特に機械化しづらい作業工程で、そこをイタリア人は得意とする。

この特徴を取り巻く環境が大きく変わるのが、前述した一九七〇年代である。
「一九七一年、アルビーニはイタリアに既製服ビジネスを持ち込んだのですが、グッチやアルマーニが、南イタリアと英国のテイラードスーツの要素を掛け合わせながら、独自のスタイルを築きました。これが一九七〇年代初めからおよそ三〇年間の流れです」。

しかし今世紀に入るとスーツ自体の需要が減ってきて、スポーティなファッションの勢いが増す。「私は一八歳の時、トム・フォードがつくるグッチのスーツに憧れましたが、今の一八歳はスーツにそもそも興味がないでしょう。贅沢の意味が変わったのです。しかしながら、このようなトレンドにあってもイタリアメンズファッションに活気があるのは、三〇代半ば以上の成熟した大人向けのスーツを得意とするからです」と、目下三五歳のパンディーニは説明する。

すなわち、英国とイタリアのスーツが融合したところでイタリアの色がより強調されたのが、「各パーツの遊び」「カジュアルなムードづくり」である。結果として、今世紀に入り世界中でカジュアルファッションが加速化するなか、フォーマルなアイテムをカジュアルダウンする、イタリアのスーツやジャケットが市場の求めるちょうどよいポジションを占めることになったのだ。

スーツの世界で意味のイノベーションを起こし、それに適応するのにサルトリアによる「アルティジャナーレ」が貢献しているわけだ。

サルトリアを活かしたジーンズ

サルトリアは、スーツやジャケットをソフトでカジュアルなものにするのに貢献したが、一方でサルトリアを導入することで「カジュアルの格上げ」が実現されているという面もある。カジュアルウェアの象徴ともいえるジーンズの高級化に一役を買っているのが、まさにサルトリアの存在だ。

イタリアの典型的ファッションとして、上がネクタイにジャケットでありながら、下がジーンズをはくとのパターンがある。上下のコントラストを楽しむのだが、ジーンズといって

も野良仕事のジーンズをあてるわけではない。スラックスのアイデアを取り入れた高級ジーンズだ。つまり、カジュアルの格上げという名の、意味のイノベーションを行っているのだ。

　イタリアにはもともと、ジャケットやパンツのバリエーションが多い。というのも、ジャケット専業やパンツ専業という企業が多いからだ。ジャケットとパンツの両方を作れる生産ラインを確保するのは、小さな規模の企業にとっては実は容易なことではないが、それを逆手にとって、一アイテムに特化することで、バラエティ豊かな展開をしている。パンディーニによれば、これは「英国やドイツにはない業態」だそうである。

トラマロッサのジーンズ

　そうしたパンツ専業メーカーのなかで、サルトリアによるジーンズを謳う「サルトリア・トラマロッサ」をフラッグシップに、好調な業績を上げているのが、メイド・イン・ヴェネト・マニファットゥーレ社だ。サルトリアで使われる技術と仕上げを男性用ジーンズに適用しており、すべてのパーツを顧客が選べるパーソナライズも行っている。量産ジーンズであっても顧客のイニシャルをポケットの上に入れるこだわりようだ。

メイド・イン・ヴェネト・マニファットゥーレ社は、一九六七年の創業で、ヴェネト州という産地名をそのまま企業名にしている。パンツビジネスの総合メーカー、ブルズ&ライオンズの傘下にあり、二〇一七年の売り上げは一五〇〇万ユーロで、八〇人の従業員を抱える。直近で毎年売上高一〇 - 一五%の成長を見せている。ピッティ・ウオーモへの出展を契機に、海外ビジネスのチャンスを掴み、現在、五三か国で販売され、売り上げの八〇%以上は国外市場である。

サルトリア・トラマロッサは、古くからあるブランドではない。創業者であるケメッロが長く温めてきたアイデアを、息子たちが七年前に実現させたものだ。ブランドにサルトリアという言葉を使うだけでなく、「メイド・イン・ヴェネト」と生産地を大きく謳っているのが特徴である。

これにはわけがある。ヴェネト州はもともとジーンズの産業集積地で、プレミアムジーンズのトレンドをつくったディーゼル（一九七八年創業。現在、グループ企業オンリー・ザ・ブレイブ社（OTB）は二〇一八年現在、従業員六五〇〇人で、年商一四億五〇〇〇万ユーロ）の本拠地でもある。サルトリア・トラマロッサは、こうした地域としてのリソースを十分に活かしながら、ディーゼルがつくった「上級クラス」のさらに上の領域をしたたかに狙っている。「イタリアでの当面のライバルは、（同じくプレミアムジーンズを作っている）ヤコブ・コーエンになるが、

われわれの戦略は市場で独自性を放っている」とマーケティング担当は語る。

日刊経済紙『イル・ソーレ・24オーレ』(二〇一八年二月五日)によれば、ブルズ&ライオンズ社は、パンツビジネスの戦略を次のように示している。

一つ目は二〇一六年に閉鎖した同じヴェネト州にあるパンツメーカーのザネッラ・コンフェツィオーニの製造権と米国とカナダを除く地域の販売権を買い取り、高級パンツのブランド「ザネッラ」の生産を二〇一七年六月にスタートさせた。さらに高いクラスへと格上げを図り、パンツ市場でのブランド力を強化している。

二つ目は女性向けジーンズ市場への参入だ。ハリウッド女優などの有名人をイメージキャラクターにした高級感をセールスポイントにしている、ロサンゼルス発のプレミアムデニムブランドであるハドソン・ジーンズ(二〇〇二年創業)の欧州における製造と販売の権利を獲得し、男女両方の市場のカバーをめざしている。

最近、サルトリア・トラマロッサはクラシックカーレースのスポンサーを行った。そしてドライバーが動きやすいジーンズを提案している。クラシックカーレースが、富裕な成熟した大人の遊びであることを踏まえているのだ。この点からも、カジュアルの格上げという戦略が見てとれる。

このように、サルトリアの伝統をジーンズに適用することで、意味のイノベーションを図

っているのである。これは当然、サルトリアという「アルティジャナーレ」の有効活用も意味する。さらに、これにヴェネト州産というローカルに根ざしていることを強調する。

つまり、ここから「メイド・イン・イタリー」の成功の方程式が分かる。それは意味のイノベーション×アルティジャナーレ×ローカルの掛け合わせである、ということである。「メイド・イン・イタリー」を旗印にして海外市場攻略を考えるイタリア企業には、こうした企業が多いのである。

2 テキスタイルメーカーの審美眼

トレンドセッターとしてのテキスタイル

意味のイノベーションの背後には、必ず培われてきた審美性がある。審美性というと身構えてしまうかもしれないが、いうなれば、どのようなプロダクトを美しい、恰好いいと思うかという判断基準のことである。これには、地域の文化的な背景から、代々一家で培われて

きたもの、個人的な感覚と、さまざまなレイヤーが折り重なったものがあるが、ここではミラノに近い繊維産業集積地であるコモにある家族経営の中堅テキスタイルメーカーに焦点をあて、その審美性がビジネスにおいてどのような位置を占めるのか見ていきたい。

なぜテキスタイル分野かというと、テキスタイルはファッションよりもさらに早くトレンドをキャッチしなければならず、ファッション分野にも増して審美眼が重要になるのである。テキスタイルメーカーの提案を踏まえ、ファッションメーカーが次のコレクションで使う生地を選んでいく、というのがこれまでのビジネスの流れであった。ゆえに、テキスタイル分野では、審美眼のＤＮＡ（いわゆるセンス）が代々受け継がれていくことが、ファミリービジネス継続の鍵の一つではないか、とも考えられる。

かつてシルク生産の中心地であったミラノの北に位置するコモ湖近郊の企業マンテーロ・セータ社は、一九〇二年創業の、現在四代目が経営するテキスタイルメーカーだ。二〇一七年、年商およそ八〇〇〇万ユーロ、従業員四七〇人（内一二〇人が製品開発に従事）である。新興国の参入などにより、この二〇－三〇年間にわたって多くの試練を潜り抜けてきた。社名には、イタリア語でシルクを意味するセータが入っているが、現在は、さまざまな種類のテキスタイルを開発・生産している。

以前はスカーフやネクタイなどファッション雑貨が主流であり、大手ファッションメーカ

ーへのOEM供給と自社ブランドの両方をカバーしていたが、今はメーカーへの生地サプライヤーでもあり、売り上げベースで四割を占めている（婦人用ファッション雑貨三五・四％、紳士用ファッション雑貨二一・七％、生地四〇・六％、その他二・三％）。顧客リストには、グッチ、エルメネジルド・ゼニア、ブルガリ、シャネル、クリスチャン・ディオール、イヴ・サンローラン、エルメス、アレキサンダー・マックイーン、ポール・スミス、ヴィヴィアン・ウエストウッド、トム・フォード……と名の知られたブランドがこれでもかと並ぶ。私が見学した際にも、長さ八〇メートルに及ぶ工程を、ルイ・ヴィトンのスカーフの柄がまさにプリントされているところだった。

過去のアーカイブというデザインの源泉

マンテーロ・セータ社の製品開発のプロセスを見てみると、テキスタイルデザイナーはリサーチ会社が定期的に発行するトレンドブックをチェックするだけでなく、自ら世界各地に足を運び、これから世の中で受けるだろう萌芽をいち早く見いだすことが期待されている。

マンテーロ・セータ社のアトリエを訪れて興味を引くのは、写真集などの書籍が満載された本棚と過去のテキスタイル柄のコレクションであるアーカイブである。同社はこの資料集

めにかなりの時間とコストをかけている。

まず書籍であるが、カテゴリー名を眺めているだけでヒントになる。地域であれば「欧州」「中央アジア」「アフリカ」などであるし、生物ならば「鳥」「犬」「花」という分類もある。「庭園」「空」「雲」「スポーツ」「食」「アート」、あるいは時代区分による切り口もある。それぞれのカテゴリーに入る本の冊数を見ていくと、どのようなテーマがテキスタイルのヒントになっているかが見えてくる。たとえば、花の写真集が本棚に占めるスペースはとても大きい。

一方、アーカイブは体育館のような広さのスペースに自社ブランドの全製品はもちろん、同社が関与していないクライアントの製品コレクションもある。たとえば、イヴ・サンローラン社の取引する以前の同社の製品もあったりする。またフランス、英国、スイスなど、経営が厳しい状況に陥り廃業した同業社のコレクションも積極的に買い集めてきた。これらにプラスして、同社インハウスクリエイターがアートの展覧会で買ってきたカタログ、欧州各地、アフリカ、アジア、南米などの店や青空市でリサーチして見つけてきた生地や雑貨などの小物などもアーカイブの一部である。

こうしたすべてが同社の開発力の源泉になっており、ここ一〇年のアーカイブはすべてデジタル化もされている。大手クライアントといえども、通常、同社のアーカイブに直接足を

踏み入れることはできない。テキスタイルメーカーが優位なポジションを維持するための防衛策である。

実は素材に関していえば、技術開発と共に新しいテキスタイルは次々と生まれているが、柄についてはこの一〇〇－一五〇年くらいの間でほぼ出尽くしている。つまり、マンテーロ・セータ社のもつ資料にだいたいのネタがある。

現CEOの妹にあたる同社プロダクトマネージャーのルチアーナ・マンテーロに「柄の発想はゼロから生みだされるわけではないのですね？　過去の遺産の再発見やアップデートと理解すればよいですか？」と聞くと、彼女は「私たちは、過去のデザインに新しい生命を吹き込む、という言い方をするわ」と答える。

ここにまさに、四世代にわたって培われてきた審美眼による、意味のイノベーションがある。過去のさまざまなデザインや柄が、現在の観点・文脈から引き出され、新たな意味を付与され、価値を生みだすのである。そして、テキスタイルメーカーの選ぶ色や柄がファッション界のトレンドを決める大きな要素であり続けてきた。

だが、同社における審美眼の重要性を尋ねると、予想と違った答えが返ってきた。

「審美眼のDNAは非常に重要なテーマですが、ビジネス規模が拡大した現在、私たちが提供するのはプロダクトだけでなくサービスとなっているので、プロダクトへの審美眼だけを

マンテーロ・セータ社のアーカイヴ

突出して語るのは実情にそぐわないとも感じます」。

一〇数年間におこったビジネス状況の激変は、テキスタイルメーカーがトレンドセッターであるという構図を変えてきたのである。一方通行だけではなくなった。

変わりつつあるクライアントとの関係

昨今のプロダクト開発は一方通行ではなく、「共創（コ・クリエーション）」がキーワードになっている。テキスタイルメーカーのデザイナーや開発担当が、クライアントであるファッションメーカーの製品開発担当やスタイリストと一緒になって新しいテキスタイルを開発していくのである。

そのパターンは複数あるが、典型的なのは、ファッションメーカーのアートディレクターが、次のコレクションのコンセプトの大きな方向を決め、それに基づいてファッションメーカーの製品開発担当が、たとえば「カモフラージュ柄の提案が欲しい」「二本のライン柄でいきたい」とマンテーロ・セータ社に依頼する。

それを受けて、マンテーロ・セータ社のデザイナーが紙と絵具を使ってまったく新しく柄をおこした新作コレクションがスタートとなる。あるいは保有する何百年かに及ぶ膨大なア

ーカイブから候補を取り出し、それらをベースに両者で議論しながらデザインや材質に変更を加えていく。

しかしながら、このパターンはテキスタイルがトレンドセッターの先頭集団に属していた時代でこそ発揮できたカタチとさほど変わらない。

かつてアーティスト→テキスタイル→ファッション→雑貨・インテリア→家電・自動車と時の経過と共にトレンドが移動する、という流れがあった。試作品を作りやすい製品群からそうではない製品群への移転に、たとえば一九九〇年代であれば七－八年は要する、といわれた。したがって、テキスタイルメーカーはアーティスト、特に現代アートの動向によく注目する必要があった。アーティストの選ぶテーマや表現方法をいち早くコレクションに入れ込んでいくことがトレンドになった。

しかし、現在、そうした枠組みの変質が激しい。今もそのような手法は活用されているが、どの分野のメーカーのデザイナーもアートやテキスタイルを見るようになっており、アイデアを採用するまでのリードタイムが圧倒的に短縮されている。よってテキスタイルメーカーがファッションメーカーに対してリードする部分が限定的になってきている。

こうして、昨今のファッションメーカーとの関係は「一般的にいえば、触感や質感についてはテキスタイルメーカーの方がトレンドとして先行しているが、柄はメゾンの方に主導権

がある」と説明する。これが「共創」という言葉が指す、具体的な作業分担であり、力関係になる。アーカイブのスペースにファッションメーカーの人間を簡単に入れないのは、この力関係があるからなのだろう。

このように各業界のクリエイターたちが交差しながら横断的に動く。そしてアウトプットを出し、クライアントとサプライヤーが一体となりサービスとして製品を開発していく。この環境にあっては一人の人間の趣向が発揮しづらい傾向にある。ファミリー企業のトップといえど、生地デザインの判断を一人でつかさどるわけにはいかない。そうした背景が、ルチアーナが審美眼を突出させて語ることを、躊躇(ためら)わせる理由である。

デザイン判断における「好き嫌い」

さらに一つ別の側面を指摘しておきたい。デザインへの評価の仕方だ。日本企業と対比しての大きな違いでもある。日本企業ではデザインを評価する時、「良い悪い」との軸を使うことが多い。デザインのセオリーに合っているかどうか、である。

一方、イタリアの企業では、まず「**好き嫌い**」である（イタリアの家庭や学校で、「好き嫌いを

言ってはいけない」と指導されることはまずない）。新入社員であろうと幹部であろうと、好き嫌いを語る。ルチアーナの表現によれば「私たちイタリア人は、好き嫌いで議論が盛りあがりすぎるので、責任ある立場の人間が判断基準を示さないといけなくなる」。が、責任ある人間の判断基準が、デザインセオリーに頼るだけでないのは想像に難くない。総合的な判断においても、個人的な好き嫌いはどうしても入ってくるはずだ。

日本では、好き嫌いを語るのはプロフェッショナルな判断ではない、という見方がされてきた。さらに言えば、子どもが大人になるとは、好き嫌いで判断しない人間になることだ、との教育が幼少の頃から行われてきた。しかし、前提として、好き嫌いという要素が判断材料のなかでまったくゼロ、というのは人としてありえない。したがって好き嫌いをどの程度の要素として織り込むか、という合意なり基準の設定が配慮されることが合理的である（もちろん、ここに厳密な数値的基準を設定するのは、非現実的である）。

だから人間の根本的な感情表現としての好き嫌いを、ビジネスの場にオフィシャルにもっと持ち出す意義が昨今語られるようになった。たとえば、一橋大学教授の楠木健は『「好き嫌い」と経営』（東洋経済新報社）の中で、「好き嫌い」という観点から経営者にインタビューを試みているが、こうした流れを棹さしている。

好き嫌いに加え、イタリアの文化土壌においては、一人の人間の能力を区分けしすぎない

との傾向がある。お互いにオーバーラップする部分への発言権は尊重しようとする。英米企業文化と比較しても、「君は担当じゃないのだから口を挟むな」と他者をシャットアウトすることが少ない。したがって、色を決める人がマーケティング戦略に意見する、管理部門の人が色の選択に物申す、とのシーンが生まれやすい。

以上を考慮すると、前述したルチアーナの「審美眼を突出した要素としてみない」とのセリフは、次のような意味に解釈できる。審美性を問うことがイタリアの企業文化に前提条件として根付いているから、それを踏まえて自分たちには不足しているプラスアルファの方向を意識するのが重要である、と。

一見、ルチアーナの言葉は日本の読者には「イタリアの企業は審美性から距離をとりつつあるのか」との誤解を与える恐れがあるが、真意はまったく逆である。審美性がベースにあり、これらなしに経営戦略を論じることはできない、とのイタリア企業の中心部分を解き明かしているのだ。大きなデザインが小さなデザインを上から目線で決めることはない。

＊1：Maria Luisa Frisa, Gabriele Monti, Stefano Tonchi (eds), *ITALIANA: Italy Through the Lens of Fashion 1971-2001*, Marsilio Editori, 2018

第5章

食のグローバルとローカル

プロセッコとスローフード

イタリアといって、日本人に一番馴染み深いのは食だろう。

一九九〇年代以降、現地で修業をしたシェフによる本格的なイタリア料理店が次々とオープンし、徐々にイタリアの地方ごとの特色を取り入れ細分化しながら、日本の外食産業に定着し現在に至る。それにしたがって、ピザはピッツァになり、粉チーズがパルミジャーノにとって替わられ、さらにオリーブオイルが家庭に常備されることになった。

ただ、成熟したイタリア食文化が根付いたと表現するには今一歩であり、たとえばスパゲッティが一律にパスタと呼ばれるようになったのが、その一例だ。イタリア料理のメニューはプリモ（第一の皿）、セコンド（第二の皿）という順序に並んでおり、プリモのなかにパスタとリゾ

ットがある。そしてパスタには麺タイプとショートパスタがあり、パスタというとショートパスタを指すことの方が多い。スパゲッティはスパゲッティとして厳然と存在感を放っている。

本章では、二一世紀になってから急速に知名度を上げ、グローバルに人気を博す北イタリアのスパークリングワインと、それとは一見対照的に、ローカルな食文化を重視することでファストフードに対抗し、世界的なムーブメントとなった「スローフード」を取りあげる。

1 グローバルに席巻するプロセッコ

スパークリングワイン市場の風雲児

プロセッコというスパークリングワインをお飲みになったことはあるだろうか。やや甘味がある、フルーティな香りが特徴のイタリアの発泡性ワインである。値段もフランスのシャンパンほど高くなく、日本だと二〇〇〇〜三〇〇〇円代前後の価格帯が多く、カジュアルに

気どらずに飲めるワインとして、世界中で人気がある。普通のワインのアルコール度数が一三－一四％に対して一一％と低く、伝統的なスティルワインに馴染みのない、若年層や女性も気楽に口にする機会が多い。

しかし、その名が市場で広く知られるようになったのは、実は、二一世紀に入ってからである。二〇年前まで、プロセッコがその名を海外で知られることもなかった。そもそも、イタリアでもスパーリンクワインは新しい飲み物で、二〇年ほど前まで食前酒として一般的ではなかった、ともいわれる。しかし、この一〇数年、海外市場で急速に注目を浴び、二〇一六年には消費量でシャンパンを凌駕している。極めて短い間に国外市場でブランドが確立されたのである。実はここにも意味のイノベーションがある。プロセッコ躍進の背景を探ってみよう。

プロセッコはイタリア北東部、ヴェネツィアのあるヴェネト州とトリエステのあるフリウリ州で作られたスパークリングワインで、その地域で育った、「グレラ」という土着のブドウを発酵させてボトリングしている。①「プロセッコDOC」、②「コネリアーノ・ヴァルドッビアデーネ・プロセッコ・スペリオーレDOCG」、③「コッリ・アゾラーニ・プロセッコDOCG」の三種類の認定があり、これを総称してプロセッコと呼んでいる（DOCとDOCGはイタリア政府認可のことで、後者の方が上級である）。

売り上げ成長率は毎年、前年比で二桁を叩き出しており、海外バイヤーからの出荷要求は強く、ブドウの収穫量が需要になかなか追いつかない状況だ。二〇一六年の実績で、①のプロセッコDOCが一九億ユーロ、②のコネリアーノ・ヴァルドッピアーネDOCGは五億ユーロの売り上げである（③のコッリ・アゾラーニDOCGは金額データがないが、生産本数から推測するに②の一％程度と考えられる）。①のDOCに限れば七五％は輸出で、②のDOCGは五五％程度の見込みだ。

プロセッコDOCの輸出先の筆頭は英国であり、その後に米国、ドイツ、フランスと続いており、これらの国だけで全輸出のだいたい七〇％である。

「プロセッコとはジーンズである」

プロセッコがスパークリングワイン市場で、トップランナーに躍り出たのには、米国市場における一つの戦略があった。

一八八七年創業のプロセッコメーカーのミネオット社が、米国市場に踏み出したのは一九九八年である。何年かの試行錯誤の後、同社が行きついたコピーが「ジーンズと似合うプロセッコ」であった。「かしこまらずにカジュアルに」というメッセージがここにはある。ま

た、プロセッコが決してシャンパンの廉価代替品ではないことを表現している。

二〇〇六年三月七日の米国ウェブマガジン『ザ・ストリート』の記事で、ミオネット社のマーケティング・マネージャーは次のように話している。

「この三年ほどプロセッコは驚異的な伸びを見せているが、メディアの露出が増えたのはもちろんだが、スパークリングワインに対する消費者の認知に変化があったことが大きい。米国人はワインのなかに泡を見つけると、贅沢なひと時だと考えている」と語り、ミオネット社はプロセッコのユニークな香りと妥当な価格にスポットをあてて、その認知の変化を促したと表明している。リーズナブルな価格を、カジュアルな商品特性と関連づけたのだ。

ジーンズというメタファーが生きたのは、米国のワイン事情も背景にあるだろう。ワインの分野では、フランス、イタリア、スペインなど地中海沿岸の国々を「旧世界」と呼び、ワインを飲む食習慣が生活に根付いており、ワインの味に舌が肥えている消費者が相対的に多いと考えられている。

一方、米国、南米、オセアニアなどの国は「新世界」と呼ばれる。たとえば、米国においてワインは日々の家庭の食卓にあるものではなく、特別なハレの機会に飲むものである、との認識が高い。飲酒人口のうちワインを飲むのは半数を切り、頻繁にワインを飲むのは中高年の男性が主であり、週に一回飲む人は二割にも満たないといわれている。

このようにワインを習慣的に飲まない人たち、若い層あるいは女性層にプロセッコが浸透した。ビールやその他のソフト飲料の消費者に、新しい飲料としてスパークリングワインという選択肢が加わったのである。

米国だけでなく、英国やドイツもプロセッコが浸透している市場である。特にドイツは生産地と距離的に近いため、第二次世界大戦後からプロセッコの売り込みを何度も試みた。どこでも最初はカクテル用の安い酒とみられたが、プロセッコそのものが魅力的なワインであるとの認識を近年はセールスの現場で推進した。その結果、前世紀末からスパークリングワインの波と共に、ビールが強い英独の市場開拓にもプロセッコが定着してきた。

しかしながら、意味のイノベーションは、表面的な手品ではない。その背景には、ヴェネト州とフリウリ州という、ローカルなエリアで蓄積された知恵とコミュニケーション、需要に対応できる産業の集積がある。これを見ていこう。

躍進の土台としての教育機関

プロセッコのもとを辿れば古代ローマ時代に遡れる。博物学者プリニウス（二三－七九）が記した『博物誌』のなかに、この地域のブドウの特徴やワイン生産の記述が見られるのだ。

一八世紀に入ると、科学の発達が発酵に関する知識の増大を促し、また産業革命の影響により大量生産が可能になり、イタリア北東部のワイン作りにも影響を及ぼす。同時代の詩人アウレリアーノ・アカンティは、作品のなかでプロセッコの魅力を讃えている。

一九世紀後半になると、現在のトレヴィーゾ県コネリアーノ市に醸造学校が設立された。この頃、各地のワイン産地で同様の学校が設けられ、ワイン造りの監修者であるエノロゴ（醸造家）を育成することに力を入れはじめる。このコネリアーノの人材供給の拠点が、プロセッコの質向上を図る基盤になった。

プロセッコの発展に詳しいパドヴァ大学農業経済学部のヴァスコ・ボアトは、「学校の創立とプロセッコの開発に携わったアントニオ・カルペネこそが、近代プロセッコの〝原点〟といえます。プロセッコ成功の第一の要因は、質の良い人材をこの地域で育てたことに尽きるでしょう」と語る。

プロセッコには、シャンパンとは異なる二次発酵の方法が適用され発展した。シャンパンの場合、ブドウの栽培・収穫・圧搾・一次発酵の後の二次発酵は、ボトルのなかで行う。一方、プロセッコはマルティノッティ方式（シャルマー方式）と呼ばれる加圧タンク（オートクレーヴ）のなかで行う。これによりブドウの香りがみずみずしく保たれ、プロセッコの味を特徴づけている。一九三〇年代、アントニオ・カルペネの孫であるエティーレ・カルペネは、

その手法を完成の域に導いた。

シャンパンは月日を経たものが評価されるが、プロセッコは逆に早めに飲まないと良さを失う。「成功の第二の要因は、プロセッコは早いタイミングで飲むワインであることです。つまり生産から出荷までの時間が短いためにキャッシュフローが良い。したがって資金繰りが楽なために次への投資がしやすいのです」とボアトは解説する。

第二次世界大戦後、プロセッコ飛躍に向けた大きなステップは、一九六〇年代、地域のメーカーが集まり同業の組合を設立したことだ。これが、プロセッコが地域アイデンティティの象徴となる契機になった。原産地呼称制度の導入も、この時期である。お互いに協力し合う思想が、この地方で根付いていったのである。複数の生産業者がワイン醸造施設を共有する、あるいは一緒に製品の販路を開拓するといった活動も、その例だ。また地域の観光促進策も、同時代にスタートしていた。つまり今日、他の多くのワイン生産地でみられる施策が、一九六〇年代の同地域ではじまっていたのは特記すべきことだ。

しかし、ここでもう一つ特筆しておくべき点がある。この協力体制のなかで誰か、またはいずれかのメーカーがリーダーとなって大きな戦略をたて、他社をまとめて引っ張るという事実はなかったということだ。個々の企業の知恵と工夫の結晶が、一九九〇年代以降になって徐々に花ひらいたのである。

ただ幸か不幸か、その結果、イタリア国内の他地域や外国の生産でもプロセッコを名乗るブランドが噴出した。この事態への対策として、前述したDOCとDOCGが二〇〇九年に設定され、同時にブドウの種名も、それまでの「プロセッコ」から「グレラ」に変えたとの経緯がある。より原産地呼称の適用を厳しくしたわけだ。

世界のワイン潮流にピタリとはまる

ボアトの同僚であるパドヴァ大学のエウジェニオ・ポマリチはフランスのワイン業界メディアである『ヴィーティスフェル』(二〇一七年一〇月四日)のインタビュー記事でこう語っている。「醸造のための製造機械メーカーなど関連産業の基盤があり、市場を発展させる基本的な条件が揃っていたところで、プロセッコはビジネスの最大の好機を掴んだといえるでしょう。世界のワイン市場には二つの潮流があります。一つがプレミアムであり、もう一つが手に取りやすくクールなワイン。プロセッコは、後者のトレンドに絶妙にはまる製品だったのです」と語っている。

ヴェネト州とフリウリ州の両州はブドウの生育とワイン製造に関して伝統があることは、すでに述べた。これは同時に、EUの規制の変更などに、迅速に対応できる知識やスキルが

揃っていることを意味している。また、この周辺は家具やその供給メーカーの産業集積地としても発展してきたため、ワイン生産でも使う、さまざまな関連機器や素材を扱える企業が集まっている。

さらに、両州には、一〇〇〇を軽く超すメーカーが集まっている。お互いの仕事をよく見ており、ライバル企業の改善や新しい取り組みに対する評価や採用も早い。ワインを飲む食習慣をもったセンスのいい消費者の存在が品質のレベルを押し上げている点も見逃せない。こうした環境がプロセッコのブランドを短期間で押し上げたといってよい。

当初、多くの市場においてプロセッコはカクテル用の安い酒と見なされた。しかし、販売サイドも消費者サイドも、その美味しさを発見したのである。その発見に対する対応のスピードが速く、かつ波に乗れる実力が潜在的にあったのだ。

しかしイタリアにはプロセッコ以外にもスパークリングワインはある。なぜ、これほどにプロセッコに注目が集まったのだろうか。

ポマリチは言葉を続ける。「スパークリングワイン全体の生産量は増えています。アスティ、トレント、フランチャコルタなど、シャンパンへの真っ向からの対抗馬になっている。フランチャコルタも話題にのりやすいが、プロセッコほどには爆発的な伸びを示していない。これらは二次発酵を瓶のなかで行うシャンパンと同じ手法を使っており、シャンパンの廉価

代替品として見られやすいのです」。

ナレッジこそが成長を支える

やや過熱気味にもなっているプロセッコブームには見過ごせない問題もあると、ポマリチは指摘する。「どこのメーカーも欠陥商品を出荷しないスキルはもっている。しかし、高い価値ある商品を提供する際に要求されるコンピテンシーが幅広く定着してはいません。まだ一部の企業の一部の人たちにしかない暗黙知を、これから形式知にしていく必要があります」。

私はこの点について楽観的な見方も可能であるのではないかと感じた。というのも、プロセッコの取材をして気づいたのは、大学の存在感である。一九九〇年代、パドヴァ大学とコネリアーノ醸造学校は提携し、ブドウ栽培や醸造という農学や化学の分野だけでなく、流通から販売までのビジネス戦略を教える道筋を整えた。また最初に紹介したパドヴァ大学のボアトは、DOCGやDOCの組合に経営面のアドバイスを継続的に提供してきた。

こうしたプロジェクトの結果、パドヴァ大学や近隣のヴェネツィア大学の経営学や農学の学生が、卒論や修論のテーマにプロセッコを選ぶことは多く、博士号もワイン経済で取得し

ている研究者が何人かいる。ポマリチが指摘した危惧も、人材の豊富さから、時間の問題として解決していくのではないかと考えられる。

地域の経済発展に高等教育機関の存在は不可欠であるが、ここには一〇〇年以上にわたり、そうしたインフラを重視する土壌が生きてきた。したがって将来の問題にも先回りできる文化があると考えられる。

プロセッコの躍進をここまで見てきて、勘のいい読者はすでにお分かりかと思う。ここにも「メイド・イン・イタリー」の成功の方程式が働いている。カジュアル化というワイン市場のトレンドに絶妙にはまった「意味のイノベーション」、たゆまぬ技術開発と人材育成による「アルティナジャーレ」の継承、土着のブドウ、地元の大学や地場産業といったローカルのリソースをフルに活かしている。

なお、プロセッコの輸出金額はおよそ二〇〇〇億円のレベルであると推定される。現在、農水省も旗を振って輸出振興に努めている日本酒は、この数年、毎年、前年比で一〇%以上の成長であるが、二〇一八年で約二二二億円である。一地方の特定の種類のワインの輸出額が日本全国の日本酒の輸出額の九倍にあたるわけだ。ここにある乖離を見た時、プロセッコの勢いがどれだけダイナミックなものかが少し実感できるのではないかと思う。

2　スローフードのゆるやかな革命

歩みをとめないカタツムリ

スローフードというムーブメントの中身を知らなくても、その名を聞いたことがある人は多いのではないだろうか。マクドナルドに代表されるようなグローバルに展開するファストフードに対するアンチテーゼとして、地域で培われてきた食文化を重視し、その持続可能性を追求する運動として、なんとなく認知されているのではないだろうか。

日本でスローフードという名が本格的に知られはじめたのは二〇〇〇年代以降で、「スローライフ」という言葉に派生しながら、雑誌や書籍でも頻繁に取りあげられ、ネットの登場によって加速化する社会への警鐘として一定の支持を受けた。昨今では、あまりそれらの名を聞くことはなくなったが、「コミュニティデザイン」「ソーシャルデザイン」「地域デザイン」といったキーワードが流行っているのを見ると、何らかのかたちで、そういったトレン

ドの素地となり、その思想が浸透したと考えてもあながち間違いではないだろう。

一方、イタリアでの活動は安定的に発展してきている。地に足をつけて、変化し続けている。スローフード運動は、本書の観点からいえば、食に対する審美性を基盤に行った意味のイノベーションと、ローカルで培われたアルティジャナーレを掛け合わせたもので、際立って「メイド・イン・イタリー」的であるが、さらに面白いところは、ローカルであることとグローバルであることを矛盾しないかたちで、昇華した点である。どういうことか、詳しく見ていこう。

「美味しさ」という審美性

スローフード運動は、イタリア北西部のピエモンテ州の小さな街・ブラからはじまった。ブラ出身の食のジャーナリストである、カルロ・ペトリーニと食通の仲間たちが、ブドウの生産者のワイン醸造の支援活動をはじめたのが事のはじまりである。

運動の契機には大きく二つの出来事があった。一つ目は、一九八六年に起きたワインをめぐる大スキャンダルである。とあるワインメーカーが、業務用アルコールをワインに混入して儲けようとし、一九人の死者を出したのである。この事件の結果、イタリアのワイン輸出

は激減する。食にかかわる人たちのモラルが問われることになった。モラルの再考なしにイタリアワインのサバイバルはありえなかった。

二つ目は、マクドナルドのローマ進出である。一九八六年、映画『ローマの休日』でも名高いスペイン広場にマクドナルドのイタリア一号店がオープンすることになった。ファストフードによる画一化された食文化が社会の標準に取って代わられてしまったら、地域の伝統食文化をいかに保護すればいいのか、という問いを突きつけられたのである。

ペトリーニたちの食コミュニティは、ワインスキャンダルを契機に、ブドウ生産者の支援活動をはじめ、その活動が徐々に人びとを巻き込み、一九八九年にスローフード協会というかたちで結実し、スローフード宣言が採択される。土地に寄り添いスローであることが尊ばれ、シンボルにはカタツムリが選ばれる。美術史に詳しい読者であれば、これが、近代工業社会におけるスピードを礼賛した、マリネッティの「未来派宣言」(一九〇九年)と対になるものであり、価値転倒を図っていること――本書の言い方をすれば、意味のイノベーションを行っていること――に気づくだろう。

スローフード協会のロゴ

このように書くと正義感にあふれる社会主義的な運動の印象も受

けるが、その根底にある動機は、美味しいものをずっと食べ続けたいというシンプルな欲望である。二つの事件は、世界を美味しくない、歓びのないものにしてしまうに、あまりあるものであった。スローフードにおいては、不味いことは罪なのである。しかし、そこにとどまらず、不味いものには、なにか原因がある、そう考えるのである。逆もまた然りで、美味しいものには、理由があるとも。

そこから生まれた指針が、①消えてゆく恐れのある伝統的な食材や料理、質のよい食品、ワイン（酒）を守ること、②質のよい食材を提供する小生産者を守ること、③子どもたちを含め、味覚の教育を進めること、この三つである。

そのなかでも、もっとも大事にされているのが、味覚の教育である。味覚は風土や歴史、食文化によって世代を超えてつくられるものであり、地域によって当然異なるが、味覚への感度の高さを重んじる態度・文化がスローフードの根幹をつくるという考えがある。前章で取りあげた審美性を、食の分野にあてはめれば、味への繊細さの重視と置き換えてよいかもしれない。

このように味覚という名の審美性をベースに、ファスト化する食文化に対する意味のイノベーションを行い、アルティジャナーレの価値を再発見したのが、スローフード運動ともいえるだろう。そして、この「メイド・イン・イタリー」は、世界中に広がり、三〇年以上の

歴史においては、紆余曲折もありながら、今や一六〇か国以上にネットワークをもち一〇万人の個人会員を擁するNPOにまで成長した。

プレシディアという独自の認証制度

ここまでの説明から分かるのは、スローフードは体系だった主義主張からはじまったものというよりは、ゆっくりと歩みを進めながら、その都度その都度、解釈の仕方とそのまとめ方に工夫を図ってきた運動と捉える方が適切であろう。ゆえに、分かりづらさがないわけではない。

しかし、世界中に広げるにあたっては、もちろんそれなりのカタチに考えた軌跡は集積されており、そのなかでも「プレシディア」（英語読み）という生産者への認証制度は、とても明確なものになっている。

プレシディアは、動物保護、生物多様性の維持、環境保護を主目的にしているスローフード独自の認証制度である。生産方法もアルティジャナーレであること、また生産地で売れることが重視されている。生産組合を支援したり、生産のやり方を規定したり、リサーチの援助を行ったりしている。

ヨーロッパにおける認証制度としては、ＥＵ（欧州連合）の定める「原産地名称保護制度」が権威の上位にあるが、それとは相対するものである。原産地名称保護制度とは、地域特有の文化的・経済的な特徴と恩恵を保護することが目的であり、①ＰＤＯ（原産地名称保護制度）、②ＰＧＩ（地理的表示保護）、③ＴＳＧ（伝統的特産品保護）の三つの認証からなる。①ＰＤＯは、②ＰＧＩと比べると生産プロセスにより厳しく、③ＴＳＧは地域よりも伝統的プロセスの保護を優先する。「原産地名称保護制度」という名称からは若干分かりにくいが、その力点は、経済的成長を第一に考える点に置かれている。主に各地域・業界の生産者団体がその主役をつとめ、一般に大手の流通経路で高めの価格設定が可能となるメリットがある点である。フランスのシャンパンやイタリアのパルマハムは、この認証に守られているもっとも有名な事例である。先に挙げたプロセッコも、この地理表示に守られる。

これにたいして、スローフードが推進するプレシディアは、生産者団体には加入しない（あるいは、コスト面からできない）零細企業や中小生産者が対象になる。プレシディアを対外的に推進する「生物多様性のためのスローフード財団」の会長であるピエロ・サルドは、その目的は大きく二つあると考えている。

「ＥＵが定めた規則の主要対象国は、温暖な気候と歴史的な恩恵を受けたフランス、イタリア、スペイン、ギリシャの四か国です。これらの国々には政府レベルで地理表示の制度があ

り、それと並行してEUの規則があります。問題は、これらのシステムが中堅以上の企業のビジネス促進につながっているために、小さなサイズの生産者は恩恵を受けられずに不利を被っている。私たちの目的は、その地域にある小さな生産者に手を差しのべるということ。もう一つは、地域の農産品を保護することがまったく頭になかった地域に、そうしたコンセプトを育てるエコシステムを作っていくことです」。

つまり、ブランド製品生産地にいるにもかかわらず、その恩恵を享受できない零細企業・中小生産者を救うことが一つ。二つ目に市場からあまり注目を受けていない農産品の保護・育成だ。二つ目の対象として、バルカン半島一帯は筆頭候補になる。なぜなら、この地域にある豊富な種類の美味しい農産品（ワイン、チーズ、ハムなど）を大手流通企業が虎視眈々と狙っているからだ。

こうした場合、EUや国の制度との衝突がでてくると想像するが、スローフードはEUとどのような関係なのだろうか。サルドの言葉を続けよう。

「私たちとEUは数多くのプロジェクトを行っており、EUの助成金で実施できているものも多い。ブリュッセルにはスローフードのスタッフが四人駐在しています。プレシディアについてもEUと話し合い、私的ブランドとして了承をもらっています。もちろんイタリアの監督官庁との関係も良好です」。

目的と規模に差があるために共存している、ともいえる。しかしながら、サルドはその関係が今後も平和裏に続いていくと楽観しているわけではない。というのは、原産地保護制度は、経済目的であるために、対象地域の拡大や製法の緩和などを促す傾向にあり、本来の趣旨が曲解されていく恐れがあるからである。「行政の規則は形骸化が進んでおり、ある時点で地理的表示のあり方について話し合いをする必要があるかもしれません」という。

たとえば、フランスのカマンベールチーズに対するPDOの変更は、サルドの危惧が現実化したものだ。もともと、高品質の生乳だけで作られたカマンベールチーズにのみPDOは与えられていたが、フランスのINAO（国立原産地名称研究所）は、低温殺菌のミルクの使用を二〇二一年より認めることにした。これは今から一〇年近く前に多国籍乳製品メーカーであるラクタリス社の製品に「ノルマンディで生産されたカマンベール」というPDOに似た表示が認められたことに端を発している。

INAOの新しい規則によれば、カマンベールは二つの種類に分けられ、一つは現在のPDOに合致する高品質の生乳で作られたチーズ、もう一つは「低温殺菌ミルクで三〇％はローカルの牛のミルク、七〇％は牛の生育地は問わない」ものである。この背景には、低温殺菌ミルクを使用したカマンベールチーズの九五％を生産しているラクタリス社の思惑もあるが、米国FDA（食品医薬品局）が、安全上の観点から、PDOのカマンベールを輸入禁止に

していることの事情も隠れている。

しかしながら、伝統的な製法に沿った生産ができる生産者は限りがあり（年間生産量の一％である）、こうしたダブルスタンダードは、従来のPDOに沿ったカマンベールを市場から消滅させかねない（なお、先のプロセッコDOCについても、ブドウの収穫量確保のために施した対象地域拡大から、同じ問題があることは指摘しておきたい）。

しかしスローフードは、このような規則の改変により地域にある伝統的な食の価値が損なわれることに警笛を発し、伝統の手法を守るために闘う覚悟であるとの意思をサイト上で表明している（二〇一八年三月一一日現在）。世界の食文化の価値を守る戦略に長けた権利擁護グループとして動いているのである。

二〇一六年末時点において、世界六七か国の五一四種類の製品がプレシディアの認証を受けており、地域で分けると欧州四〇五、南北アメリカ四九、アフリカ四一、アジア・オセアニア一九である。欧州ではスウェーデンがスローフードの普及とプレシディアの認知向上に努めている国の筆頭だ。ドイツも会員が多いが、プレシディアの普及にはつながっていない。南米ではブラジルが中央政府と会員が一緒になり、プレシディアを強力に推し進めている。同国は世界の生物多様性の宝庫といわれる、戦略的重要拠点である。

ローカルでありつつ、グローバルであること

一九八〇年後半にスローフードが発足した当時、彼らは「メイド・イン・イタリー」をとても意識していた。海外市場におけるイタリアワインが死滅に瀕する危機が運動の発端になっていたのだから、当然といえば当然である。よってスローフードの理念と共にイタリアの食材が海外に普及するよう試みた。

しかし活動するなかで、それぞれの地域の食材を使うことが大切であるとの認識を深めていく。ゆえに、世界各国に理念が広まれば広まるほど、イタリアの食材を強調することに矛盾を感じるようになる。

すなわち、スローフードはイタリアのコンテクストで誕生したが、理念としてユニバーサルに通用する中立的な価値をもつに至り、それにあわせて、食材の「メイド・イン・イタリー」ではなく、理念としての「メイド・イン・イタリー」として普及していくことを選ぶ。そうした過程のなかで生まれたのが、「プレシディア」という認証制度なのである。

このように食材そのものではなく、食の思想と文化性の高い食を維持するアプローチが「メイド・イン・イタリー」として広まりつつある。必ずしも最初に体系化されていなくて

も、アプローチとして徐々に体系化が可能である、ということがよく分かる事例だ。第9章で紹介する乳幼児教育を主眼とするレッジョ・エミリア教育と似たパターンであることが、スローフードの「イタリアらしさ」を裏付けている。

第6章

日常空間を彩るモノたち

ファツィオリとモレスキン

この章では住空間にあるモノを、ライフスタイル商品として二つ取りあげよう。やや変化球であるが、ピアノとノートブックだ。ピアノを使う人の数には限りがあり、ノートブックはほぼ万人の手にある。しかし、どちらも機能だけでなく、日常生活のなかで大切に使いたいと愛着を抱くモノだ。意味のイノベーションは、市場の声を聞くことなく、ユーザーが愛してやまないモノをつくりだすことを商品企画者に迫るテーマである。この点について、イタリアの企業家はどうアプローチしているのだろうか。前者ではイタリアの音を追求する新興のピアノメーカーを、後者では日本でも人気の高い高級ノートメーカーを取りあげる。

1 ファツィオリ——イタリアの音を奏でるピアノ

短期間でトップに駆け上がったピアノメーカー

最高級のピアノメーカーは世界で三社あると言われる。ベーゼンドルファー社(オーストリア。二〇〇八年にヤマハが買収)、スタインウェイ社(ドイツ/米国)、ベヒシュタイン社(ドイツ)の三つである。いずれもゲルマン系とアングロサクソン系の出自で、一八二八年から一八五三年に誕生しており、一五〇年以上の歴史がある。

この三社の牙城に果敢に挑戦し目覚ましい成果を上げている、創業四〇年足らずのイタリア企業がある。二〇一〇年、三大国際ピアノコンクールの一つであるショパンピアノコンクールで、公式ピアノの一社に採用されたファツィオリ社だ。ピアノ業界では、一流のピアニストに演奏されることがトップの証になり、影響力のあるコンクールで将来有望な若きピアニストにいかに弾いてもらえるかが、ブランドの行方を大きく左右する。生産量世界一を誇

る創業一〇〇年を越えるヤマハでさえ、なかなか突破できなかった壁を、創業からわずか三〇年ほどで突破したのである。

ファツィオリ社の戦略を一言で述べれば、「狭く深い」である。量を狙わず、妥協なく質を高めるのが同社のスタイルである。スタインウェイなどの生産量が年間三〇〇〇台近いのにたいし、ファツィオリは年間一三〇台しか作らない。当然価格も最高クラスである。また、最高級のピアノを徹底的に研究しつくし、これまで以上の最高の音を探求すると同時に、ゲルマン系のピアノにはない「イタリアらしい音」を実現したのである。つまり、「アルティジャナーレ」と「意味のイノベーション」の二つの要素が、そこには極めて分かりやすく見られる。

それでは、この「狭く深い」戦略の詳細を見ていこう。

ヴェネツィアから北に六〇キロほどに位置するサチーレという街がある。かつてのヴェネツィアの別荘地で、街中を流れる川沿いに歴史ある建物が立ち並び風情豊かなところだ。ピアノの発祥の地でもあるパドヴァからも程近い。

この郊外に、一九八一年創立のファツィオリ社の本社工場がある。この地域は家具関連の産業集積地であり、創業者のパオロ・ファツィオリの父親は家具メーカーを経営していたが、

ローマやトリノに加え、この地でも工場を運営していた。この家具工場の一画で、パオロがピアノを作りはじめたのが、同社の事業のスタートである。

一九四四年に生まれたパオロは九歳よりピアノを学んでいた。大学では家業に貢献するために機械エンジニアを専攻したが、音楽の道も諦めきれず、並行して音楽院でピアノコースも終了した。ピアノと家具のあいだで揺れ動いていたパオロは、ピアノの構造や材料にも多大な関心を抱いていた。

家具の仕事をしながらピアノを弾き続け、並行してピアノの材料・構造の研究をしていゆくうちに、パオロは一つの方向を見いだす。「世界の一流のピアノを弾いてみたが、自分が満足ゆく音がでるピアノがこの世の中にはない。だったら自分で作るしかない」。

ピアノは響板（きょうばん）と呼ばれる音を響かせるコンポーネントが命であり、ここで使用される木材の選択と加工こそがピアノの質を決めるといって過言ではない。ちなみに、スタインウェイ社も最初は家具を製作しており、家具とピアノは製造において似たスキルが要求されているのが分かる。

三〇代になったパオロは工場内にピアノ工房を作り、音響や各パーツの専門家も交え試作品を作りはじめる。バイオリンのような弦楽器と違い、ピアノはチームで作らないといけない。なにせおよそ一万の部品点数のある製品だ。

ピアノを作っては演奏し、音に満足がゆかずに分解する。これを一〇数回は繰り返した。一九八〇年、初めて満足のゆくピアノが完成する。材料・構造・音の三つの視点を総合的に判断できるパオロが、いわば「全人格的」に力を注いだ結果だ。

こうしてピアノ専業メーカー「ファツィオリ社」が一九八一年に設立された。

イタリアの音を探して

ピアノという楽器は約三〇〇年前にイタリアで誕生したものの、先に挙げたように高級メーカーとして生き残ったのは、ゲルマンとアングロサクソンの文化圏が中心である。パオロが、ピアノづくりに乗り出した理由の一つもここにある。つまり、既存のピアノにない音を求めたのである。

ファツィオリの特色は、イタリアの音を実現していることだ。イタリア音楽はオペラにあるベルカント唱法を伝統とするが、ファツィオリはこの文化を受け継ぎ、明るく鮮明で軽やかな音の世界をつくる。スタインウェイの音が重く厳格と評されるのとは対照的である。

ファツィオリの音は長く響き、特にピアニッシモ（とても弱い音）にこだわる。同社の製品には第四のペダルがオプションで装着できるが、これを踏むと鍵盤の位置が下がり、音質に

ファツィオリのピアノ

影響することなくピアニッシモを繊細に扱える。

パオロは語る。「私たちにとってメイド・イン・イタリーは大切な要素です。ピアノの音にイタリアらしさを求める人たちがいるわけですから」。ゲルマンやアングロサクソン発で流通してきた「伝統的」なピアノの音に「新しい意味」を持ち込んだのである。同社のピアノは九五％が輸出されているが、生産地が重要なのは、「イタリアらしい音色を出すピアノ」という形容の背景にあるものだ。ただし、市場にすでにあるピアノの音の分布図を描き、空白地帯を狙ってイタリアの音色を開発したわけではない。自分が最良と思う音色が、結果として「イタリアの音色」だったのである。

響板にはオーストリア国境に近いフィエンメ峡谷の森にある赤トウヒを用いている。これは一七世紀のバイオリンの名器ストラディバリウスと同じ材料である。これもブランドにとって重要な要素だ。

同時に、目指すべき音を身体で分かる人が、製造プロセスの各ポイントでチェックする、というのも鍵だ。響板の各箇所を手で叩けば、「イタリアの音であるかどうか」の質が判断できる。その証拠に、同社の従業員のかなりの数の人がピアノを弾く。最終完成品は、必ずパオロによってチェックされる。「私が演奏しないピアノが工場から出荷されることはない」という。

ここから読み取れるのは、「素材を重視するメイド・イン・イタリー」と「音質を重視するメイド・バイ・イタリアン」という二つの要素が掛け合わされることで、その存在感が倍増しているということである。

深い音色の秘密

「量は追わない。良い音を追求するのが私の使命だ」とパオロは語る。このために次の二つのことが欠かせない。

一つ目は「時間のかけ方」だ。材料や仕掛り品をとことん寝かせるところに特色がある。響板は半年以上寝かせる。ピアノ全体で一〇種類以上の木を使い分け、部品によっては二年以上寝かすものもある。スタインウェイが完成までに一年という期間を要するのに対し、ファツィオリは二年以上をかける。「木は緊張を与えたら、リラックスする時間をもたせないといけません」と製造責任者は説明する。資金繰りから見ても重い負担であるが、質への妥協を許さない姿勢が時間の扱い方に現れている。

二つ目は「手仕事のプロセスの多さ」だ。通常、少量生産メーカーは、鍵盤とその周辺の機械コンポーネンツは外注品を使う。それ以外の部分については内製である。ファツィオリの特徴は、内製部品が基本的に手仕事によるという点だ。低音用弦には銅線が巻かれている。この巻き付け作業も手である。手で巻くと音に深みがでる、と担当者は説明する。機械で作業すれば歩留まりの高い弦ができる。人による作業には成果にバラつきがでるから、弦の音のチェック結果により作業のやり直しがでやすい。しかし、歩留まりという生産効率で作業の内容を変え、求めるべき音色を諦めるのは本末転倒である。

つまり、自分たちが満足する音を表現できるピアノに、必要不可欠な製造工程は妥協しないのである。決して、アルティジャナーレを売りにして、付加価値をつけようとしているのではない。

とはいえ、この質を確保するためにふさわしい人材の数は限られている。社員およそ五〇人という数字は、人口二万人のサチーレで「イタリアらしい音のピアノを作れる」人を選りすぐった結果だろう。その従業員数から導き出せる生産台数が年間一三〇台前後なのである。「今後、生産量が増える可能性はあっても、劇的に増えることはないでしょう。微増にとどまると思います」とのパオロの説明は、イタリアの企業家が往々にして、市場の狙いどころを目指して垂直に深くゆく傾向を裏付けている。むやみに商売を広げようとしないのだ。

当然のことながら、同社の六つのモデルは、日本の小売価格で九〇〇万円から二〇〇〇万円との高額帯であり、市場自体が極めて狭い。しかも、先進国においてクラシック音楽人口は減少している一方、新興国でまだ最高級ピアノを求める成熟した市場はできていない。だからこそ、市場をむやみに広げず、「どうしても、この音色が欲しい」と強く求める客の欲求に答えられる体制を優先するのである。つまり、「狭く深い」のである。

アルティジャナーレが社会とつながる鍵

「この工場で作業する人たちは、オペライオ（工員）なのか、アルティジャーノ（職人）なのか」。私のこの質問に、製造責任者は「エスペルト（専門家）」と答え、社長のパオロからは

「コラボラトーレ（協力者）」との返事がきた。

私はアルティジャナーレの現代的解釈のあり方を探っているのでこういう質問をしたが、質問を間違えたと気づいた。当事者に聞く質問ではなかった。自分たちの同僚を工員と社外の人間に向かって呼ぶ文化がここにはないのだ。アルティジャーノは職制を定義づけるものではなく、社会的あるいは文化的な役割を示す。

逆にいえば、生産現場で働く同僚を「オペライオ」と呼ぶ会社が、アルティジャーノを評価する生産体制をもっているとは考えにくい。手を動かして作業する人たちが商品戦略のコアを形成すると認識し、彼らに敬意をもって接する土壌がある企業、つまりはアルティジャナーレを尊重する企業は、安易に作業員をアルティジャーノとも呼ばない、ともいえるかもしれない。職制の名称に敏感なのだ。その点を私は見過ごしていた。

パオロは「良いモノを作ることに興味があり、私たちがルネサンスの偉大なアーティストたちのDNAを引き継いでいるのは自覚する」と話す。だからアルティジャナーレという単語に含まれる「アルテ（アート）」との近さを常々意識する。

同社には、二〇〇人を収容するコンサートホールがある。工場で完成したピアノが、そのまま段差なく直線移動でホールの中央にセットできる。試しで数台のピアノを弾き比べ、その一台を今度はホール環境で本格的に試弾することが可能だ。ホールは同社のピアノを弾く

パオロとファツィオリ社の職人たち

演奏者の数を増やすためコンサートを実施するビジネス上の必要もあるが、「ピアノを作るのは文化領域に入ることだから、地域コミュニティと音楽の接点を増やすのも当社の役割」との目的もある。将来的には、本社の隣に音楽学校をつくることも考えているという。

市場が成熟しているという理由で諦めるのではなく、成熟しているがゆえに新しい意味を求め、それを文字通り自らの手で実際のカタチに仕上げてきたパオロの姿を見ていると、市場における存在感は、経営者の考えと想いの深さにあり、それを裏打ちするのがアルティジャナーレの企業文化であると痛感する。

2　モレスキンの非「メイド・イン・イタリー」戦略

「メイド・イン・イタリー」をあえていわない

「メイド・イン・イタリー」が強い分野は、ファッション・食・インテリアの三つに加え、これらに関係する生産機械である。この分野にいないビジネスパーソンにとって、「メイド・イン・イタリー」を売りにするとの発想は乏しい。

しかしながら、ここではライフスタイル産業において「メイド・イン・イタリー」の考え方を踏襲しながら、「メイド・イン・イタリー」をあえて表に出さない企業を紹介しよう。

モレスキンというブランドがある。角が丸みを帯びた長方形の黒いハードカバーに、ゴムのバンドがついているノートブックが有名だ。二〇一六年、このメーカーの手帳やノートブックは世界一〇〇か国以上で一八〇〇万冊が売れている。年商は一〇〇億円を超えている上場中堅企業である。

モレスキンが世界にその名を知らしめたのは、このタイプのノートブックを歴史上の文化人たちが使っていたからだ。ピカソ、ゴッホ、ヘミングウェイ、サルトルと名を挙げればキリがない。彼らと同じノートブックを手にしている、彼らが書き留めたように、自分も一冊の本を書くように使っていきたい、と思わせる。

こう書くと、モレスキンは創業一〇〇年以上のフランスあたりの会社、と想像するだろう。しかしその前身の会社、モード&モード社が、その名を商標登録して生産をスタートさせたのは一九九七年である。それもミラノが本社だ。多くの人はモレスキンがイタリアの企業と知ると驚く。それは同社のブランド戦略が成功した結果だ。しかも、このストーリーは同社のサイトにも掲載してあるにもかかわらず、老舗と勘違いしている人たちが多い、との事実にさらに驚かされる。

副社長のマリア・セブレゴンディは語る。「私たちは、メイド・イン・イタリーとは無縁のイメージを作ってきました。ヨーロッパにあるコスモポリタンな文化の継承者というのが私たちの立ち位置ですから。あえて言えば、デザイン・イン・ミラノとメイド・イン・チャイナです」。

これだけ聞くと、本書にモレスキンを挙げるのはふさわしくないようにみえる。しかしながら、モレスキンには「メイド・イン・イタリー」の意味を熟知した、極めて高度な戦略が

モレスキンのクラシックなノート

ある。話を続けよう。

逸話のつくり方には文化的素養を活かす

実は、かつて歴史上の作家やアーティストたちが使ったノートブックは、モレスキンという名前ではなかった。

フランスのトゥールで作られ、パリの店で販売されていたノートブックをモレスキンと呼んだのは、英国の作家ブルース・チャトウィン（一九四〇－一九八九）である。一九八〇年代、トゥールの会社は閉じられ、文化人に愛されてきたノートブックの生産が中止になる。それを知ったチャトウィンは在庫で残っていた商品を大量に買い込んだ、と自著につ

づっている。モグラ（＝モレ）の皮膚（＝スキン）に似ている、とモレスキンと呼んだ。

したがって、一九世紀に活躍したゴッホは、モレスキンという名前さえ知らなかったのである。しかし、二一世紀のモレスキン愛好者はゴッホが使ったのと同じノートブックである、と思えることに満足を覚える。

この絶妙とも思える同社のプロジェクトは次のような成り立ちだ。

もともと、モード&モード社はデザイン雑貨を扱うビジネスをしていたが、すべては他社製品であった。自社製品を作りたいと考えていた社長のフランチェスコ・フランチェスキが、ノマド時代の到来に合うモノを、コンセプトクリエイターであったセブレゴンディに提案を求めた。

ノマド時代とは、テクノロジーの進化や経済の変貌により、物理的にも非物理的にも境界のない移動をメインとする活動が定着する時代を指す。コワーキングスペースやカフェを渡り歩きながら人と会い、仕事をこなしていく。米国の社会学者、リチャード・フロリダがクリエイティブクラスに関する書籍を出したのは今世紀初めだが、アーティストやデザイナーというクリエイティブ産業に従事する人だけでなく、コンピュータのプログラマーや弁護士など専門職の人も含めてクリエイティブクラスと称し、このクラスが知識社会の担い手となる時代が到来してきていると説いた。

こうした時代の潮流を一九九〇年代に同様に見通し、それにあったモノとは何かを考えた時にセブレゴンディが思い至ったのが、自身もかつてパリの店で買い求めたノートブックであり、チャトウィンのモレスキンへの傾倒ぶりだった。

インターネット時代にふさわしい販売戦略

あのノートブックをベースに質の高い商品をつくり、チャトウィンやかつての愛好者の名前を用いてブランドを創る、というシナリオができた。こうして最初の年に五〇〇〇冊のモレスキンが誕生したのである。

当初、こだわったのが販売先である。文房具店ではなく書店で売ることを優先した。「あなた自身が本をつくる」というコンセプトに合うのは書店である。ただ本のアナロジーを使うからだけでなく、このコンセプトを気にいるのは普段書店に出かけるタイプに多いだろう、と見込んだのだ。クリエイティブクラスが確実に出入りするのは書店である。これが的中し、モレスキンは自分たちがターゲットとする人たちにダイレクトにアプローチすることができた。

実をいえば、モレスキンのタイプのノートブックは、ドイツのロイヒトトゥルム１９１

7も出している。また、私のアイルランド人の友人は「一九八〇年代、モレスキンタイプのノートブックをロンドンの店で買ったことがある」とも記憶している。これがフランスのツゥールで制作されていたものか、あるいはまったく別のところで作られたのかは知らない。

ただ、同じようなタイプのノートブックが存在し、現在、それらがモレスキンに代表されていると多くの人に思われている現実があるのはたしかだ。セブレゴンディは、それらの類似品よりも細かいところまでデザインされているのがモレスキンの強みである、と話している。

いずれにせよモレスキンのブランドが世界的に広がったのは、ノートブックにおける意味のイノベーションを仕掛けた文化戦略的なマーケティングの勝利といってよい。それも従来のメディアにスペースを買い取る宣伝ではなく、口コミを重視した戦略によってである。セレブゴンディは「モレスキンのブランドができたのは、インターネットのおかげ」とも話す。

モレスキンは厳密には、メイド・イン・イタリーではない。最終的なアッセンブリー（組み立て）と品質検査がイタリア国内で実施された製品以外は、メイド・イン・イタリーとは名乗れない。しかし、本書でぜひ紹介したいと思ったのは意味のイノベーションの成功事例であり、アルティジャナーレをとても重視している優れたプロダクトだからである。

自分が愛せるものを起点とする

最後に、この章で強調したい二つの点をまとめておこう。

一つは、**自分が愛せるものを作っている**ということである。ファツィオリもモレスキンも、まず自ら欲しいと思うものを追求することを起点としている。ユーザー観察やマーケットデータによる丹念な市場調査の結果、生まれた商品ではない。自分自身がユーザーの代表であると認識して生まれた商品だ。

第1部第1章でも若干触れたが、ベルガンティの『突破するデザイン』に次のような記述がある。

> 人びとはあなたが愛していない製品を愛することはない。あなたがそれを愛していなければ、彼らはきっとそれを感じ、そのことを嗅ぎつける
>
> （『突破するデザイン』、一二〇頁）

アップルの創業者であるスティーブ・ヴォズニアックの言葉だが、これに対しベルガンテ

ィは以下のような解釈を示している。

ユーザーは私たちが好きでないものは好きにならないと言っているのである。別の表現をすれば、これは必要であるが十分な条件にならない。私たちは、私たちが愛するものを提案しなければならないのである。(中略)ユーザーが望んでいるという理由でデザインされた製品に恋することはほとんどない。(中略)恋に落ちるためには、そこに本物の愛を見つける必要がある。そしてディテールに注意が払われているところを見て、しばしば本物の愛を見いだす。

(『突破するデザイン』、一四四頁)

ファツィオリもモレスキンも自らが企画するモノを愛し、しかもどちらも製品のディテールに愛情を注いでいる。人はそのディテールに目を奪われ、作り手が自分の商品に惚れ込んでいることに、圧倒的な確率で気づくのである。

企画者の想いや愛を根底においた話をすると、「やっぱりイタリアだね」という声が聞こえてきそうだ。だがアップルの例に見るように、これは強烈なファンをもつ商品の万国共通の定則である。イタリアの企業風土においてより根強い傾向とはいえるかもしれないが。

第2部第4章でテキスタイルメーカーのマンテーロ・セータ社を紹介したなかで、多くのスタッフが「好き嫌い」をいいすぎるために、逆にロジカルな判断基準を重視すると書いた。これはロジカルな判断に傾きすぎたがために、感性の側に振らないとイノベーションがおこりにくいと悩む、現在の日本企業のありようと真逆である。

両者の重心のかけ方のタイミングは熟考する必要があるが、「好き嫌い」なしにビジョンの底流にある想いや愛が独立して位置づけられることは決してない。特に「狭く深い」ビジネスを目指す場合、作り手のビジョンが基軸になることが多いので、ここは必須項目といってよい。

ローカルであることを強みとする

二つ目は、**ローカル文化の押さえ方**である。モレスキンはデジタルとノマド時代のなかで、欧州文化がどのように評価されるかを熟知したうえで、欧州文化のコスモポリタニズムの正統派継承者たるエピソードと雰囲気を出している。デジタル文化の発信地であるシリコンバレーの起業家たちの本を読んでいると、思いのほか、ヨーロッパへの憧憬が多いことに気づくことがある。

グローバル化がフラットな状況をつくりニュートラルなスタイルが普及すると思われても、ローカル文化の存在感が消失するはずがない。モレスキンのセブレゴンディはこの動向を十分に視野に入れていたのだ。

またイタリアの人たちは、イタリアや欧州の文化が世界の人たちからどのように見られているかをよく知っている。その経験が豊富である。ゲーテの『イタリア紀行』をはじめとして、毎年、六〇〇〇万人を超える外国人旅行客が来訪する。その人たちが何を見て、何にお金を費やすかを身体で知っている。

ある時、ベルガンティが「イタリアという国は、歴史とはなんなのかを世界に示すのがミッションである」と語っていたが、このような自問を長く重ねてきた人たちなのだ。自己アイデンティティを常に、世界との相対関係で意識してきた。メイド・イン・イタリーとは、この問いの姿勢を明確にした思想であり、戦略的な表示といえるであろう。

コラム 2 審美眼は継承されるのか？

ロレンツィ・ミラノという、ナイフ、ワインオープナー、トリフのスライサー、剃刀などを作る、従業員は一〇人に満たないファミリー企業がある。自然素材とメタルを組み合わせた知る人ぞ知る商品を国内外の市場に出して、ファンを獲得している。

社長のマウロ・ロレンツィは、高校を卒業するとすぐに、もともと家業である刃物のセレクトショップ、G・ロレンツィで、丁稚奉公のように働くことからキャリアをスタートした。そして、五〇代半ばになって、売るよりも作る方に第2の人生を賭けようと、ロレンツィ・ミラノを起業した。二〇代の娘たちも手伝い、商売は波に乗っている。

刃物を前面に出すのではなく、鹿の角、皮革、竹、真珠、クロコダイルといった自然素材と組み合わせた商品がメインである。インパクトがある、愛する人は執拗に愛す、そういう

素材だ。しかし、やや時代が違うのではないか、と思う人もいるだろう。一般的に、インターナショナルデザインは、こういう重い素材を避ける。個性が強すぎて一般受けしないからである。たとえば、北欧デザインは軽さや柔らかい印象を与えてくれる木を用いる。たいして、イタリアデザインは異なった素材を取り込む傾向がある。これがイタリアのデザイン感覚である。

「自然素材ばかりになるとエスニックな印象を与え、飽きられるのが早い。メタルなど異なった素材を合わせることで、素材特有の重みを減らす。このバランスに気を使う」、こうマウロは語る。

マウロはデザインを学校で学んだことはない。しかし彼の仕事ぶりを見ていると、明らかに美しくないモノを「生理的」に拒否する風が見える。自宅のクローゼットには色が微妙に異なる靴下やシャツが、色見本帳のように並んでいるという。そのエピソードがビジネスに説得力をもたらしている。

こうした審美眼は、当然、G・ロレンツィで働くことで培われたものであろう。もともと祖父ジョバンニ・ロレンツィが作ったG・ロレンツィは、世界の著名人や政財界のVIPが訪れる独特の風格をもつ、敷居の高い店であった。一九二九年、当時高級住宅街であったモンテナポレオーネ通りでカトラリー販売や刃物を磨く店としてスタートした。三〇代以上の

「良いモノが分かる」男性がスーツ姿で対応した。その後、膨大な種類の刃物を揃えただけでなく、刃物専門の博物館も設けた。そこには、紀元前のエトゥルスク時代から現代に至る四〇〇〇点にも及ぶコレクションがあった。審美眼を培うにはもってこいの場所である。

二一世紀に入り、祖父から息子たち（マウロの父と叔父）へと世代変わりするが、彼らは商売の継続に興味を失ってきた。というのも、マウロによれば、息子たちは祖父が培った審美眼の真価を理解していなかったのである。並行して、モンテナポレオーネ通りはファッション界のメガブランドのショールームとなり不動産価値は高騰し、ビジネス環境が厳しくなる。

こうした状況の中、孫であるマウロは家業を離れた。しばらくして、モンテナポレオーネ通りの店は畳まれた。

「私は世界のすべての人に我々のプロダクトを知って欲しいとは願っておらず、限られた数の分かる人が評価してくれることに満足を覚える」とマウロは語る。彼は、祖父の方針をDNAとして継ぎ、立場を販売から生産に変えたわけである。

実は祖父ジョバンニも一九一九年にミラノで兄弟と店を始めたものの、一〇年後に独立した。ジョバンニの兄弟の店とその系列店が市内に今も複数ある。その店内に置かれたモノを見る限り、かつてモンテナポレオーネ通りにあった店とは別の道を行ったことがわかる。似て非なるものだ。

G・ロレンツィがもっていた審美眼をジョバンニの兄弟はもっていなかったのではないか、と想像する。だからカタチとしては継続しているが、高いブランドの店ではない。

これは私の妄想でしかないが、ジョバンニが袂を分かつに至った理由の一つに、審美性の食い違いが問題として潜んでいた可能性をどうしても否定できない、と思った。

何を美しいと思うか、美しいという価値にどこまで重きをおくか、というのはビジネスの方向を決めるに大切なことだ。単に一つの製品に対する意見の衝突にとどまらない。

「メイド・イン・イタリー」のこれから

第3部

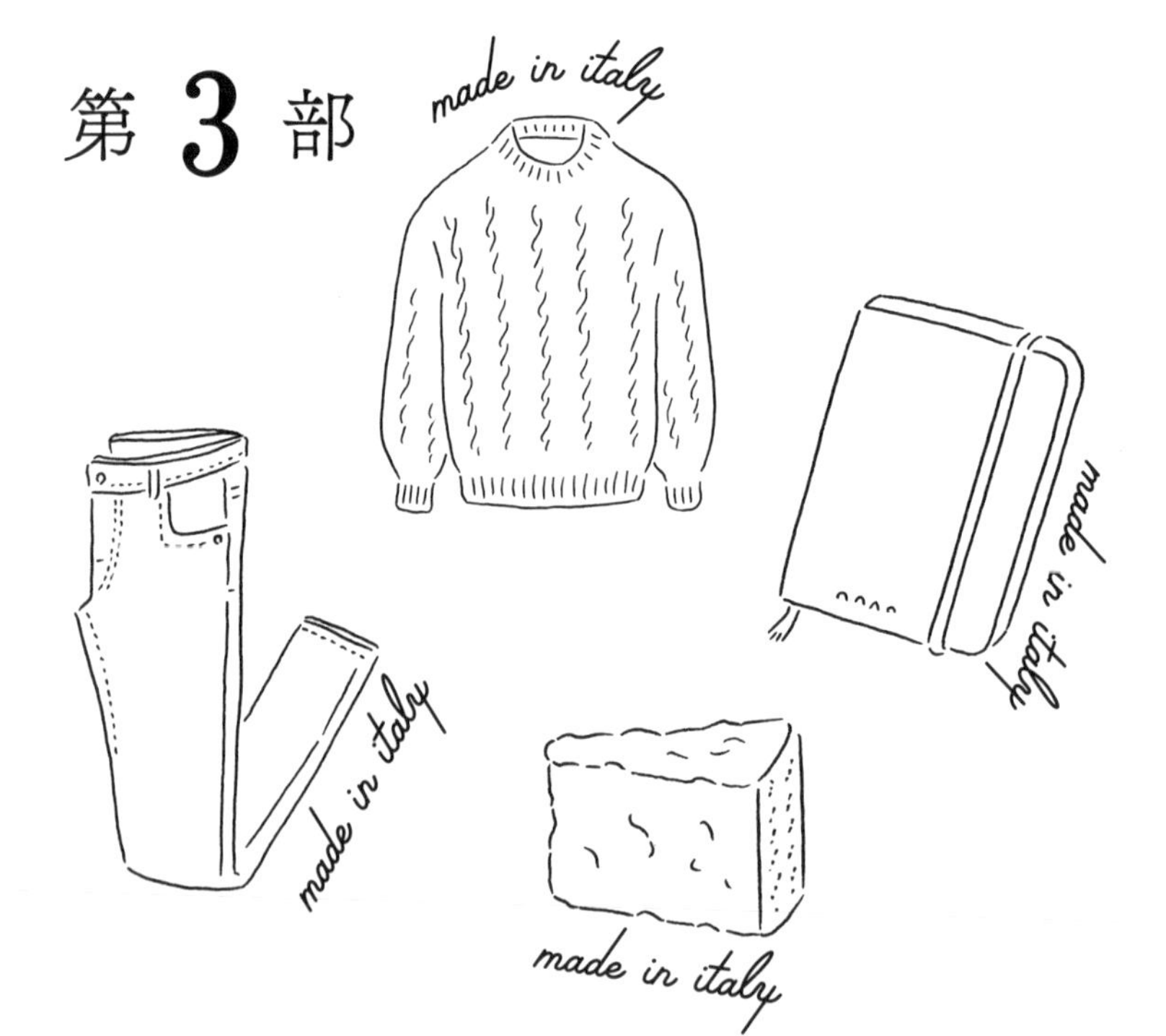

第7章

スタートアップ企業は何を考えるか?

「テクノロジー」から「意味」へのシフト

二〇年後に「メイド・イン・イタリー」産業は崩れる

「バナーレ」というスタートアップ企業がある。スタートアップ企業といっても、シリコンバレーにあるような、テック企業ではない。外出先で使う歯ブラシセットやオシャレで使い勝手のよいマスク、持ち運びできる枕やヨガマットといった、消費財を主に扱っている。ポイントは、「ポータブル」であるということだ。

二〇一六年に設立された企業で、スタッフは全員で八名の企業である。社名のバナーレは、イタリア語で「普通」や「平凡」を意味する。日々使用する日用品を、「屋外」に持ち出すという観点から、意味のイノベーションを行って

いる。「屋外」といっても、スポーツ用品やアウトドア用品ではない。これが新しい。

海外市場では二〇一七年時点で、すでに台湾、香港、スイス、チェコ、スペイン、英国、ポルトガルに流通している。イタリアの中小企業が得意とする「ポケットサイズの多国籍市場」を早々に実現している。目下、中国にも売り込みをかけている最中である。

創業者の一人である、トンマーゾ・プッチョーニに創業の経緯を聞いてみた。「ベンチャーキャピタルの投資先のほとんどはネット関係です。だから彼らもデジタル分野には飽き飽きしていて、ぼくたちのようなモノを作って販売する企業に可能性を見てくれています」。

大学卒業後にリテールのコンサルタント企業に勤めた経験から、ネット販売は当然として、小売り販売も重視している。「小売店舗で店員が喜んで売ってくれる商品は伸びる。今、そういう商品が少なすぎるのが問題です」と自らの戦略を強調する。ギフトを糸口に市場を開拓していこうと、小売店舗をメインに据えている。リアルの販売を重視していることもメイド・イン・イタリーのメンタリティを感じる。

そこで、メイド・イン・イタリーについてどう思うか、聞いてみた。

「メイド・イン・イタリーを代表する四つのAは、第二次世界大戦後の一九五〇－七〇年代の高度経済成長を支えた産業ですが、今後はどうなるか分かりません。

Aの一つである家具や雑貨は、これまで屋内の生活に必要なものが中心でした。リビング

ルーム・寝室・台所・浴室といった空間で使われるモノです。家具のカッシーナや調理道具のアレッシィはその典型です。しかし、人びとは多くの時間を外で活動している。ゆえに、ぼくたちが目指すのは、外出先で使うモノです」。

四つのAから脱出することへの強い意気込みを感じる。二〇年後のイタリアを考えた時、これまでのファッション・食品・インテリアにばかり頼っていてはいけないことははっきりしている、という。ただ、本人は意識していないが、日常生活で使うモノにこだわる点でイタリアの伝統産業の範疇にもいる。四つのAがいかにイタリアのビジネス風土のなかで支配的な空気をつくっているか、ともいえるかもしれない。

郷土意識からエコシステムへ

そこで、ローカルにこだわることについて、どう思うか聞いてみた。

「すでにあるジャンルで商売をはじめるなら、メイド・イン・イタリーの強みを考えますが、まったく新しいビジョンではじめる時、ローカルブランドの強さは関係ないでしょう。アルティジャナーレにもこだわりません」という。

他方、海外で生産するつもりはないともいう。

「中国では作りません。グローバル企業は生産拠点を自由に選べるかもしれませんが、小さい会社にとっては生産拠点を外にもつのは得策ではありません。すり合わせ的な作業がどうしても必要ですから」と語り、人間関係が築きやすい、しかも優秀なエンジニアなどがいるミラノを中心としたロンバルディア州、ヴェネト州、ピエモンテ州といったイタリア北部を拠点とし続けるという。複数の企業間で連帯が容易なエコシステムが整っているからだ。

彼の出身大学地であるエミリア゠ロマーニャ州もモノを作るにふさわしいエコシステムがあるはずと質問したところ、「自動車関連の機械分野の製品ならエミリア゠ロマーニャ州もいいですが、我が社の商品領域ではあまりメリットがありません。近くに協力メーカーがないとやはり良い関係が作れず、良い商品ができない。ネットの付き合いだけでは良い関係をつくるのは無理です」とミラノ周辺がベストだと強調する。ヴェネト州もネットワークがあるが、それぞれの生産拠点が点在していてミラノのようにすべてが集中していない弱みがある、とのことだ。

彼の言葉から読み取れるのは、これまでのイタリア文化の特徴であった出身地への郷土意識から場所にこだわるのではなく、エコシステムに注意が払われている点だ。しかも、そのエコシステムの選択にあたっては、必ずしも経済合理性に依っているのではない。「国や地域の選択は、経済合理性や論理だけでは判断できない。気持ちや生き方などすべての要素が

入りますから」と話す。

現在の彼らの商品価格は、それぞれのジャンルにおいては高い。価格設定と今後の展開について聞いてみた。

「名もないメーカーが世界に知ってもらうためには、無料で商品を配布するなど投資が必要です。しかし、単価が高いモノではそもそも不可能です。また、一五-二〇ユーロ程度なら応援に買ってもらえます。普通の歯ブラシよりは高いが、一五ユーロを払えない人は少ない。ゆえに、手の届く額からスタートし、認知が上がっていくのにしたがって、五〇ユーロ、一〇〇ユーロ、と段階的に価格を上げていく商品展開を考えています」。

一般的なブランディングのセオリーでは、高価格帯でブランドをつくるのが常道手段としてあるが、無名のスタートアップが選ぶ道ではないと考えている。

「高いものから低い方に行きやすいと思われていますが、敷居が高いブランドと思われるリスクもあります。敷居が低くするのがわれわれのブランドの第一歩です」と話す。またアマゾンでたまに売れるニッチな商品をバナーレは狙っていない。むしろ、マスな消費財で勝負しようとしている。「プレミアムレベルのマスクは中国で一億個の市場があるが、メーカーは三社しかない。このなかで二〇%取れれば十分。だから狙う」との見方をする。

バナーレのマスク

バナーレのポータブル枕

意味のイノベーションで起業

それでは、商品開発におけるデザインの役割についてどう考えているのだろうか。

「デザイナーに条件を与えないと青天井になります。原価の積み上げで小売価格を決めるなどとんでもありません。デザイナーはオペレーターであるべきです」と語り、デザイナーが美しさや面白さ優先で商品を発想することを嫌う。プッチョーニは同世代のエンジニアと起業したところからも、デザインと一見距離を置いているようにも見えなくもない。

しかし、バナーレの商品はどれもカラフルであり、一見人びとが平凡に見る商品に違った見方を提供する。マスクを使わない時にバッグやポケットに入れておくのは不衛生であるゆえ、胸にぶら下げておいてもよいデザインにしている。紛れもなく意味のイノベーションの結果にも見える。

話を聞いていくと、意外というか、当然というか、面白いことが分かった。コンサルタント企業勤務後、ミラノ工科大学ＭＢＡに通い、ロベルト・ベルガンティの授業を受けていたのだ。テクノロジーに依存しない意味のイノベーションという考え方に、目から鱗が落ちたという。起業にあたっては、そのベルガンティの前著の『デザイン・ドリブン・イノベーシ

ョン』を座右の書にしていたという。

たまたま訪問した企業の創業者がベルガンティの本を熟読し、製品開発において意味のイノベーションを戦略的に取り入れていたのは痛快であったが、私がそれ以上に感心した点がある。バナーレがこの数年間の実践で得た知見とベルガンティの『突破するデザイン』の内容が軌を一にしていることだ。

前著の『デザイン・ドリブン・イノベーション』においては、コンセプトをつくるにあたって重要な役割をするのは、社外ネットワークにある解釈者たちの意見であるとしているが、『突破するデザイン』においては、社内でコンセプトを決め、解釈者はすでに固めた方向を確認する存在である、と位置づけを変えている。つまり、『突破するデザイン』では、ユーザーの声を聞いて商品コンセプトを考えるのは商品改良のようなゆるやかなイノベーションの場合であり、インパクトの強い意味のイノベーションは個人の内なるビジョンをベースに、パートナーとボクシングのスパーリングのように議論を戦わせるのが第一歩であると説明している。

私がプッチョーニに会った時、彼は『突破するデザイン』の存在を知らなかったが、偶然にも同じことを語った。つまり、前著を読みこなし自分のビジネスのなかで発展してきたことで、ベルガンティと同じ結論にたどり着いているのである。プッチョーニが優秀な人間と

いうこともあるが、イタリア人に共通する考え方という推測もできる。

ベルガンティは、問題解決ではなく、人の心に残るプレゼントのようなモノやサービスの提供をめざす場合、外側（市場）から内に入っていくのではなく、内側（自分）から外に押し出していく、というアプローチが重要である、と繰り返し語る。私がインタビューしたイタリアの企業人はほぼ例外なく、「当然のやり方」と間髪を入れずに同意する。「消費者の意見を聞かなくては」などという迷いは見せない。プッチョーニも「自分のなかでビジョンを決めなくて誰が決めるのだ」と断言する。

面白いことに、彼は自ら徹底して考える態度を選びながら、他方、手を使って考えることも重視する。机上の空論を嫌い、協力工場には何度でも足を運び、膝を交えて納得いくまで話しあって製品を作っていく。金型がゼロコンマ以下のミリの違いによって、歯ブラシの蓋が上手く機能しなかった。初めての製品で組み立てのために作業者が集まっていたなかで、このミスに気づいた。エンジニアと二人で工場にクルマを飛ばし、やり直しを頼みこんだという。「アルティジャナーレにこだわらない」という発言とは、真逆の態度である。

案の定、取材からしばらくたって会った時に、「アルティジャナーレのあり方について考えるようになった」、とプッチョーニはおもむろにいった。そして、「インドに行ったら、バナーレと発音が近いむこうの言葉が、モノを作るという意味だと知りました。なんという縁

なんだ！」と無邪気に喜んだ。

プッチョーニを眺めていると、イタリアのビジネス土壌からアルティジャナーレはなくならないという気になる。イタリア人にとって、アルティジャナーレであることは、やはり逃れられない魅力なのかもしれない。

第8章

アルティジャーノ2.0

デジタルとモノのあいだで

多様性の担い手としてのアルティジャーノ

イタリアの企業家は「われわれの会社はアルティジャナーレである」「われわれの製品はアルティジャーノによって作られている」と盛んに語る。モノづくりからコトづくりへ、プロダクトからサービスへ、とまことしやかに語られる、ポスト産業時代においてもアルティジャナーレは成立するのだろうか。

パドヴァ大学の経営学者・マルコ・ベッティオーリは、イタリアの企業家の特徴として、「自ら製品を作れる経営者が多く、たとえば、世界一大きな眼鏡メーカーであるルクソッティカの会長も眼鏡を作れます」と話す。しかし、

ここでアルティジャナーレが強調されると、日本でもよく語られるような、古き良き昔ながらのモノづくりという、懐古の匂いと勘違いしてしまいがちだ。イタリアの経営者は、なぜアルティジャナーレであることを強調するのだろうか。

デジタル化時代のイタリア製造業とアルティジャナーレをテーマに研究する、ヴェネツィア大学の経営学者ステファノ・ミチェッリによれば、「ファッションだけでなく、食に対するテイストでさえ頻繁に変化し、バリエーションがあるのが現代です。他方、イタリアの企業は標準化を嫌います。だからスケールすることに興味が低いのです。自分たちが好きなのは多様性への対応だと自覚しており、必然的にニッチ市場に向かうことになる。そこで柔軟さを基調とするアルティジャナーレが重要な要素になるわけです。ノスタルジーではなく、これからのために経営者はアルティジャナーレ文化を語っているのです」。

彼は標準化が得意(あるいは好き)な国の企業として、米国、ドイツ、日本、中国の名を挙げている。これらの国の企業もモジュール化やパーソナライゼーションへの対応を語るが、これらの国の企業は「もともとそういうことが好きじゃないから、高いレベルの製品やサービスにはならないはず」という。

一般にイタリア企業の特徴として引用されやすいニッチ市場での得意さが、実は個人的な好き嫌いと密接な関係がある、とミチェッリは指摘している。よってイタリア企業のテーマ

は、多様性ある市場創造の重要な担い手として、ニッチともいえる領域で価値を提供し、長続きする地位を確保することである。

組織については「官僚的でなく、コンパクトであるのが望ましいが、デジタルコミュニケーションの普及のおかげでコンパクトレベルの人数の上限は上がったでしょう。また市場の国際化もスタッフの増加をもたらしますが、何人の組織が理想であるとは一概にはいえません。ファッションメーカーのブルネッロ・クチネッリのように、権威ではなく文化を伝えるリーダーシップが活躍すれば、それなりの人数の組織も活性化します」とミチェッリは話す。

次節では、デジタル化するビジネス環境のなかで、アルティジャナーレの価値を逆に最大化しようとしている企業から、アルティジャナーレの現代的な可能性を具体的に見ていこう。

目指すはデジタル・アルティジャーノ

デジタルとアルティジャナーレの領域をつなぐかたちで、ビジネスの軌跡をつくってきた企業家がいる。自動車の車体をデザイン・製造するカロッツェリア、カスターニャ・ミラノのオーナーであり、チーフデザイナーである、ジョアッキーノ・アカンポーラである。

カロッツェリアとは、もともと王侯貴族や新興ブルジュワのために特注の馬車を製造する

工房のことだった。馬車から自動車への移行後は、自動車メーカーの量産車をベースにした一点もののクルマを生産した。第二次世界大戦後になると、デザイン・試作品の製作・生産設備の設計などに幅を広げてきた。その中心地がフィアット社のあるトリノで、ピニンファリーナ、ベルトーネ、イタルデザインといったカロッツェリアが隆盛を築いた時代があった。

カスターニャ・ミラノは、ミラノを本拠地とするカロッツェリアである。一八四九年に設立され、一九世紀のイタリアを代表する作家、アレッサンドロ・マンゾーニの馬車、サヴォイア王国の女王がカーレースで乗ったクルマ、またアルファロメオをベースにした世界で初めてのミニバンを製作、といった数々のエピソードをもつ企業である。二〇世紀前半には六〇〇人の従業員を抱え、一時期は、イタリアで最大手のカロッツェリアだった。

しかし、一九八〇年代に入ると、高級車の一品ものを求める層の減少や重要市場であった米国でのビジネスを失い、窮地に陥る。その苦境に乗り込んだのが冒頭のジョアッキーノ・アカンポーラである。彼は、ミラノ工科大学で建築を勉強し、同じミラノを本拠地とするカロッツェリアであるザガートで働き、フィアットで仕事をしながらカーデザインを学んだ。一九九四年にカスターニャ・ミラノを買い取り、現在に至る。

その頃、カスターニャの現場には高級車の修理の仕事しかなく、新しいクルマを開発するという発想はなかった。アカンポーラは開発部門をおき、「量産外」というカテゴリーでア

カスターニャのオーダーメイドカー

プローチをはじめた。つまり、一点もののクルマである。しかも完成したクルマは認証を取得して公道を走れることが条件だ。クルマの開発には三つのレベルがある。①現行車両への若干の変更 ②サイズを変えるなどの車体の改造 ③まったく新規に作るワンオフである。これらを遂行するにあたって、主要課題として彼が力を注いだのがデジタル機械の活用である。

一九九〇年代、量産のためのデジタル機械はサイズが大きく高額であった。彼が探し求めた道は、最小の機械で最高の設計・生産パフォーマンスを一点ものに対して行う方法である。いわば、「デジタル・アルティジャーノ」である。いうまでもなく、出来はプロフェッショナルなレベルでないといけない。

ＦＩＡＴ５００をベースとした、バカンスの雰囲気に合う、夏の海辺向きの仕様にした小型のカジュアルなスポーティカーがある。南フランスのサントロペといった粋なリゾート地で遊ぶ人たちが欲しがるクルマである。内装は水に強く、室内は開放的でありながら、トランクには海岸で遊ぶに必要なものが十分装備できるようになっている。

一般的にスポーツカーあるいはスポーティカーといったジャンルのクルマは、エクステリアデザインを優先させ、インテリアが窮屈になる傾向がある。だが、カスターニャは路線を異にして、心地よい内装を重視することを伝統としている。したがって先端的なデジタル機器を車内に取り入れることにも積極的である。

未来のアルティジャーノを育てる

こうして会社を軌道に乗せ、およそ二〇年を経た。顧客リストには世界中で知られた個人名が並ぶが、数年前からふたたび新しい方向を模索するようになった。二つの理由がある。

一つ目は、デジタル化、コンピュータ化の世界的普及である。インドの企業に設計開発を依頼し、その設計情報に基づいて中国で部品を製作してＤＨＬでイタリアに送ってもらう。こういう機会も増えた。一九九〇年代には苦労した少量製作が可能な環境が整ってきたので

ある。「地域間に品質的な差がほとんどなくなりました」とアカンポーラは語る。
二つ目は、アルティジャーノの減少である。「これまで現場を支えてきた、手に覚えのあるアルティジャーノたちが引退する年齢にさしかかってきました」と語る。他方、ミラノ周辺では手を使う若いアルティジャーノが育っていない。若い人たちはコンピュータの有能な使い手だが、実際に手を動かして鉄板を曲げるのが苦手である。
とはいえ、ドイツが主導するインダストリー4・0と呼ばれるマスカスタマイゼーションの動きにのろうとするのは、イタリアの中小企業にとっては危険である、と彼は考えている。「ドイツの産業界に合う方法であり、イタリアにはマッチしない。強みであるファンタジアやフレキビリティを殺すことになる。だから私は〝ドリーム・ファクトリー0・0〟という名のプロジェクトを立ち上げた」と言葉に力を込める
ドリーム・ファクトリー0・0とは、時計のスウォッチにヒントを得た構想である。スウォッチが多種のデザインの提供を強みにしているように、ドリーム・ファクトリー0・0では、三人乗りでコンバーチブルタイプになるクルマをベースに、各々がパーソナライズしたデザインを提供できるような仕組みである。カスタマーはアプリを使いながら自分が望む部品を選択する。それらをデジタルプリンターで作り、組み立てるわけである。ルーフが簡単に外せ、それでいてスーツケースが二つは入るスペースもある。そのうえ、ゼロ・エミッシ

ョンのクルマだ。

アカンポーラは、このプロジェクトをイタリア北東部にあるウディネで、一〇代後半のコンピュータが得意な若者たちに実際に作らせてみた。予想通り、少年たちの目は輝いた。自分たちの手でクルマを完成できた喜びは大きい。

「ルネサンス時代の工房は、都市計画や建築から彫刻・絵画、あるいは機械といった多数の分野をカバーした。それが近代になって分担という制度が発達し、人は全体像が掴みにくくなった」とアカンポーラはいう。

ゆえに、一九世紀から続くカロッツェリアの少量生産の伝統を受け継ぎながら、デジタルの力で「歯車から脱却して全体を構想できる立場に立つ」方法をひたすら探してきた。このウディネを拠点とした若者を育てる学校も試験的にはじめたのである。

ヴェネツィア大学のステファノ・ミチェッリは著書『「する」のがイノベーション——新しいアルティジャーノの仕事』[*1]のなかで、ドリーム・ファクトリー0・0について下記のように触れている。

「米国で3Dプリンターを使いオーダーメイドのクルマを製作しているスタートアップがいくつかあるが、カロッツェリア・カスターニャが行っているのは、それらとは違う。テクノロジーでアルティジャーノの能力を置き換えるのではなく、一つひとつのモノのコストを制

御しながら、アルティジャーノの能力を拡大するためにテクノロジーを活用している。イノベーティブな技術とイタリアの伝統に根付く、アルティジャーノのやり方を現実化する能力を掛け合わせ、オーダーメイドとして賞賛すべきコストで予想以上のモノに仕上げている」。

モノ＋文化＝「メイド・イン・イタリー」

アカンポーラはデジタルに早くから目をつけてきたが、モノという物理的にカタチのあるものにこだわる。

「低価格帯の代表といわれるイケアの製品と高級ブランドの製品が、実は品質的に大差がないという現実を知らない消費者も多い。棚の扉など北イタリアのフリウリ州の同じ工場で生産されています。結局のところブランドロゴに流されている人が多いんですね。昨今は、デザイン・オリエンテッド、マーケティング・オリエンテッド、エスペリエンス・オリエンテッド、カスタマー・オリエンテッドなどと、モノよりも顧客へのサービスや体験を重視するたくさんの戦略が喧伝されますが、モノへの態度は空っぽ」と手厳しく批判する。

「レストランの食事がどんなに美味しくても、サービスがダメなら経験としては最悪なのは当然です。だからといって、『経験を提供する』ということが約束事である限り、たんに広

告の一種に過ぎません。経験は事前にプログラムされたものであってはいけないのです」と突っ込む。

また、「これからのメイド・イン・イタリーは、モノ＋文化がより強調されるだろう」と予測する。近年、機械によって生みだされるモノは地域間で質に大差がなくなったと前述したが、それでも製品からどうしても滲み出る文化性は消えない。どこかイタリアならイタリアという匂いがしてしまうというところに価値がある、とアカンポーラは述べる。

カスターニャは、ロゴやエンブレムを目立たせない方針をとる。それでも高級車が行きかうミラノのブランド街で、カスターニャのクルマを見かければ、見る人にはすぐそれと分かる。際立った特徴があるのである。「われわれの顧客はほぼ口コミでやってくるか、実際にモノを見て質が分かる人たちです」との発言が、ロゴ不要論を裏付ける。

「製品企画の理想形は、アルティジャーノがギフトを提供する姿に近い」と話す。この言葉にカスターニャ・ミラノの製品開発のすべてが集約されている。ベルガンティの『突破するデザイン』にある一節から引用してきたのではないか、と私は思わず耳を疑ったほどだ。

「内から外へのイノベーション――贈り物をつくる」との章で、ベルガンティはこういう。すでに紹介したが、再度、ここでも引用しておく。

「恋に落ちるためには、そこに本物の愛を見つける必要がある。そしてディテールに注意が払われているところをみて、しばしば本物の愛を見いだす。私たちがつかみ取る価値のあるものを発見するのは、実はそれを見た後なのである。出会った後で初めて『おお、……これは予想していなかった。素晴らしい！』と言うのである」。

『突破するデザイン』、一四四頁

＊1：Stefano Micelli, *Fare è innovare: Il nuovo lavoro artigiano*, Il Mulino, 2016

第 9 章

幼児教育が鍛える審美性

レッジョ・エミリア教育

日常生活の観察を促す乳幼児教育

これまでの全編にわたって「意味のイノベーション」の重要性を語り、その背景には「審美性」があると述べてきた。審美性というと小難しく聞こえるかもしれないが、要するに、何を美しく何を醜いと思うか、もっと平たくいえば、何が好きで何が嫌いかの判断軸のことである。

さて、こうした判断軸はどうやって培われるだろうか、はたまた鍛えることは可能なのだろうか。ここからは、ビジネスからいったん離れて、イタリアのある地方都市で行われている幼児教育に注目してみたい。

イタリア北部にレッジョ・エミリアという都市がある。ミラノの東南およそ一五〇キロにあ

る。欧州最古の一一世紀に創立された大学があるボローニャと生ハムで知られる食の街パルマの中間に位置する、人口一七万人の小都市である。中世からの歴史的風情のある、コンパクトで気持ちのいい街だが、とはいえ、他のイタリア都市と比べて大きな観光資源があるわけではない。しかし、そんなサイズの街に、昨今、聖地巡礼のごとく次々と人が押し寄せている。この街で行われてきた乳幼児教育の実践に、世界中の教育関係者が注目しているからである。

一九九一年にアメリカの『ニューズウィーク』誌に「世界でもっとも先進的な乳幼児教育が行われている学校」として紹介されたことがきっかけに、一躍世界でも知られることになり、二〇一六年には、年間一二万人がレッジョ・エミリアの教育施設に視察に訪れている。この五年間においては倍増である。当然、地域全体に経済的恩恵もある。

「レッジョ・エミリア・アプローチ」と呼ばれる、その教育の核には、コミュニティ（共同体）のなかで子どもを保育する、本書の言い方でいえば、ローカルに根ざした子育てをするという思想がある。

レッジョ・エミリア教育に三〇年近く携わってきたマリーナ・カスタネッティは、二〇一七年に東京で開催されたシンポジウムで聴衆に向かって次のように語った。

「レッジョ・エミリア・アプローチは方法ではありません。私たちの土地の歴史とコンテク

ストに基づき、子どもたちに多くの可能性を提供することでコミュニケーションの機会を増やすアプローチなのです」。

カスタネッティの示す「多くの可能性を提供する」をかみ砕くと、「日常生活をよく観察し、そこにあるディテールがもつ意味を、なるべく多く見つけ出せる子どもに育てる」ことである。それによって子どもが多様な人たちとの交流を図れるようになり、人生に多くの選択肢をもち、サバイバル能力が向上する。その結果、多様性のあるコミュニティが維持されるのである。

これはイタリアのライフスタイルにある、日常生活のなかでの観察を促す知覚を重視すること、そのものだ。そして本書のキーワードである「意味のイノベーション」の基本でもある。

教育者の名前を冠さない教育アプローチ

こうした教育が生まれた背景を知るには、まず乳幼児教育のレッジョ・チルドレン社がまとめた『一つの都市、多くの子どもたち』[*1]を参考に歴史をかいつまんで記しておこう。

一九世紀、産業革命や近代国家の整備のなかで、欧州では識字率の向上が課題となった。

これに前線で対応したのは政府ではない。教会・産業界・個人であった。この世紀の初めから子どもの教育に各国の人びとが関心を寄せはじめた端緒は、子どもの教育そのものよりも、文字が読める人間をいかにも増やすかだったのである。イタリアが国家統一を成し遂げた一八六一年においてさえ、七五％の国民は読み書きができず、方言が主流のため標準イタリア語を話す国民はわずか〇・八％だったともいわれる。

国家統一の前年、レッジョ・エミリアに幼児のための教育機関、マノドーリ保育園が誕生した。ボランティアによる運営だ。創立者のピエトロ・マノドーリは慈善団体の会長であり、一八六〇年から一八七二年にかけて同市の市長でもあった。

彼の構想は二人の先駆者の教えに起因している。一人は人びとの無知からの脱却に賭け、一八二八年、ミラノから東南に向けておよそ一〇〇キロのクレモナにおいて、イタリアで二番目の保育園をつくり、国内各地に大きな影響を及ぼした教育家のフェッランティ・アポルティ。もう一人がドイツの幼児教育学者であるフリードリッヒ・フレーベルである。この二人の教育法の融合が一九世紀後半から二〇世紀にかけて、レッジョ・エミリアの幼児教育の底流をなしていく。

とはいえ、マノドーリ保育園は現在の私たちがイメージする「先進幼児教育」の実践の場ではない。慈善活動として、貧困にあえぐ子どもを無料で受け入れ昼食を提供していた。世

紀末に欧州中でコレラが流行した際、レッジョ・エミリアでも子どもの致死率は三〇%に達し、マノドーリ保育園でも毎日、子どもたちの身体を清潔にすることが最優先されたのだ。

同幼稚園は一九九一年まで継続したが、それぞれの時代と共に変貌を遂げていく。特にレッジョ・エミリアは協同組合運動の前線にあり、そのため意見交換などの場が多く作られ、人びとは経済的な側面だけでなく、倫理的側面や社会的機能といったテーマにも敏感であった。こうした土壌が同市における教育方針を堅固なものにしていくことになる。

二〇世紀になると、心理学が子どもの心理に注目したのを背景に、さまざまな国の先進的な学校が子どもの教育を中心テーマに取り入れはじめる。子どもを安い労働力としてみるのではなく、子どもには将来を担うにふさわしい大人になるための教育が必要である、との考え方が強くなる。

日本でも数多くの書籍が刊行されているドイツ発のシュタイナー教育や、藤井聡太棋士の活躍や、アマゾンのジェフ・ベゾス、あるいはグーグルのラリー・ペイジの名を伴い一躍有名になったイタリア発のモンテッソーリ教育も、この時期を起点としている。思想家や教育学者が理論を打ちたて、その実践のプログラムを作ったので、個人の名前を冠した教育方法として広まった。イタリアではこの他、ローザとカロリーナのアガッツィ姉妹が大きな足跡を残している。

たいして、二〇世紀後半にはじまったレッジョ・エミリア・アプローチは、自治体の名前を冠している。まさに、ここにコミュニティ重視の、その教育の特長が表れている。

子どもを中心にしたコミュニティづくりへ

レッジョ・エミリアに最初の公立幼稚園ができたのは一九一三年であるが、これは一八九九年から市政を握っていた社会主義勢力の成果によるところが大きい。前世紀にあった子どもを苦境から救出するという目的だけでなく、将来の社会的な連帯の一員として育てることが目標として浮上してきたのである。

一九二二年、ムッソリーニのファシズム体制になり、国とは異なる独自な志向をする市政は行き詰まりを見せる。この年、国家が主導する子どもたちをヒエラルキーのなかに組み込む、統制と思想教化の仕組みができたのだ。そのなかでも当初、レッジョ・エミリアの乳幼児教育は枠外としてさほどの規制を受けない時代も続いたが、徐々にその独立性を失っていった。

しかし第二次世界大戦が終わりを告げ、一九四五年より同地域で共産主義と社会主義の勢力が盛り上がり、イタリア全体としても高度経済成長期に入ると、男女平等・子どもの権利

や社会進出との文脈で幼稚園・保育圏の確保が叫ばれるようになる。レッジョ・エミリアは、政治的・社会的・文化的な推進力をバックに、中央・州政府内の合意や法的整備に先立ち、「子どもを中心にしたコミュニティを作ろう」と、市が幼児学校の開設に一歩踏み出した。

一九五〇年代、教育心理医療センターのディレクターであったローリス・マラグッツィが、その先頭に立った。乳幼児教育の基盤づくりをマラグッツィが推進したのだ。マラグッツィの目指すサービスは、子どもの家族や働く母親のためだけでなく、子ども自身の権利を保護するために考えられた。子どもは「多くの資質と驚くほどの潜在力をもって生まれてきた」（マラグッツィ）のである。

彼は、大戦中は小学校の教師をつとめ、その後、心理学を学び、ジャーナリストとして演劇・文化・教育・政治の記事を書いた。子どもの精神的・社会的な課題に新しいアプローチを行うセンターに関与するようになったのは、彼にとっても必然の流れであったといえる。

一九六三年、市立の第一号幼児学校「ロビンソン・クルーソ」が開校する。これは、その後の乳児保育所（〇―三歳）、幼児学校（三―六歳）の先駆けとなる。国や従来のカトリック教会を主体にした学校教育と一線を画す試みを自治体が先導したわけで、教育に限らない、福祉などさまざまな政治社会論議を巻き起こす契機ともなった。つづいて、一九六四年に「アンナ・フランク」、一九六七年には「アプリーレ25」が市の教育機関とされた。また〇―三

歳の乳児学校も、一九七一年に国が制度として法制化する以前にレッジョ・エミリアでは開設されている。それでも一九六〇年代末の同市の幼児教育普及率は、三－六歳の子どもの通学率はわずか五〇％である。当時の学校運営団体比率は教会が八〇％、一〇％が自治体、残りの一〇％が混合といった具合である。

運動の成長は一九七〇年代の到来を待たないといけなかった。国が幼児学校などの法整備を実施する一方、一九七二年、それまでに法や規制では定められていなかった運営ベースで実施されていた事項が市議会で承認された。たとえば、男性教師の雇用、アトリエやアトリエスタと呼ばれるアート教育のためのシステム、キッチンの設置などである。

言ってみれば国を置き去りにして運動をリードしてきたレッジョ・エミリアの動向には、当初より国内外の専門家が関心を寄せてきたが、この要望に応えたのが一九八〇年、同市で開催された『子どもたちの一〇〇の言葉』（マラグッツィの同名の詩から、後にこう称されるようになった）という展覧会である。レッジョ・エミリア教育の紹介に焦点をおいた企画で、その後、スウェーデンのストックホルム近代美術館や他欧州数都市を経て、一九八七年には米国にわたった（日本では、二〇〇一年に、東京のワタリウム美術館で開催された）。

教育を可視化し伝えることの反響は大きかった。ニューヨーク・タイムズ紙なども取りあげ、一九九一年には『ニューズウィーク』誌が特集「世界のベストスクール一〇」において

「レッジョ・エミリア・アプローチ」を選んだ。一九九六年には、ローマの中央政府も同教育の価値を認め、教育担当の省が同市と協定を結ぶに至った。

五〇数年前にスタートしたレッジョ・エミリア・アプローチは、現在、地元だけではなく、イタリア国内各地はもとより、世界一〇〇か国以上に「レッジョ・エミリア教育に影響を受けた」とする教育機関があり、三二か国にネットワーク拠点がある。

本アプローチのプロモーション・研修・リサーチ事業をつかさどるレッジョ・チルドレン社（市と民間の共同出資）の会長クラウディア・ジュディチは次のように語る。

「マラグッツィ以前のレッジョ・エミリアでは、一九世紀の幼児教育の考え方の基調にある、子どもは不十分な存在であることを前提にしていました。しかし、彼は子どもにはすでにすべてがある。それをどう掘り起こしていくか。これが幼児教育の目的だと考えたのです」

マラグッツィは、子どもの意味を一八〇度転回したのである。それもビジョンとしてそう願っただけでなく、子どもたちと接して観察することによって得た確信である。本書の言い方では、「意味のイノベーション」がここにはある。

マラグッツィの詩『子どもたちの一〇〇の言葉』が、彼の教育理念を表現している。子どもにはそれぞれ異なった感じ方や考え方があり、一人ひとりの存在をそのまま受けとめ、それぞれの個性に沿ってその能動性を最大限引き出すことに価値があると。

この教育の成果の一端は、レッジョ・エミリア教育で育った卒業生がいったんは故郷を離れても、家族をもち子どもが生まれると「自分の受けた教育を授けたい」とレッジョ・エミリア市に戻ってくる例が少なくない、とのエピソードにも表れている。越境入学は許可されていないのだ。

レッジョ・エミリアの試みはソーシャルデザインか？

冒頭のカスタネッティの案内で、レッジョ・エミリア市内の幼児学校を見学させてもらった。まず、私の目を引いたのは道具の多さだ。大きなテーブルに鉛筆、クレヨン、ボールペン、マーカー……とさまざまな種類の筆記用具が整然と並べてある。色の種類も多い。別の大きなテーブルには、それぞれ異なった質と色の紙がある。絵を描くための道具を選ぶところから、子どもたちの挑戦がスタートするのだ。

「スケッチブックにクレヨンで友達の顔を描きなさい」とか、「紙の真ん中に顔がくるように描きなさい」とか、「森を描くなら、緑と茶の色で木々を描きなさい」といった指導はここではなされない。それでは、感性の自由を縛ることになる。むしろ、そうした教育に「ノー」の立場をとる。ここでは子どもに筆記道具と紙の選択から判断させ、表現の多様性もさ

ることながら、感じ方そのものに自由度を与える。

紙に大きく目と鼻があり、頭やあごが描ききれない絵だとすれば、子どもが目と鼻を大きいと感じたままを描いたものとして受けとめる。黒いペンと黒い紙を選んだ四歳の子は、木々を描き「これは夜の森だ」と表現する。子どもが夜の闇にある森など想像しない、と先生が決めつけることはしない。

このアートプロセスを右脳的感性の強化や情操教育としてだけ見てはいけない。これは、とてもはまりやすい陥穽なのだ。殊に日本の学校のアート教育は創作が主体であるが、イタリアのアート教育とはアートヒストリーがベースにあり、アート作品に対するロジックによる解釈を学ぶとの観点が強い。したがって子どもの日常生活における解釈力を育てることに貢献することになる。この考え方が乳幼児教育にも浸透していると見てよい。

人はロジックと感性の両方で生きる生き物である。マラグッツィは、これを自転車のペダルに喩えており、両方に磨きをかけるよう努める。そして、実はそれは自分の人生の幸せだけでなく、コミュニティをより生きやすい場とする狙いも含んでいるのだ。

面白いのは、学校には子どもたちのこうした学習風景の記録を担当する人間が常駐することである。子どもたちの作品はすべてアーカイブ化され、作品に携わる子どもの様子も画像や動画に収める。というのも、レッジョ・エミリア教育の大きな特徴として、乳児保育所・

幼児学校への親の参加を求めており、家庭でも同じ方針が適用されるよう促される。コミュニティにおける情報共有があり、その際に先の記録が有効活用される。アート、すなわち、美的要素が、コミュニケーションの基礎として重視されている。

つまり、美的要素は最終的な仕上げのための「つけたし」ではなく、モノゴトの解釈の表現である。よって全体を貫く戦略的な要素であるとの考え方がベースにある（イタリアの小さなデザインは、大きなデザインを内包している、という第1章における指摘を思い返してほしい）。デザインの適用が拡大されて利用される場合、イタリア以外の各国では多人数での合意を優先するため、審美性を判断項目から落としやすい傾向を肯定的に受けとめることが少なくない。しかし繰り返すが、イタリアの文化風土では、企業活動であれ何であれ、この審美性を判断項目から外すのは逆に極めて敷居が高い。その理由が、このレッジョ・エミリア教育を見ていても分かるだろう。

レッジョ・エミリア教育ブランドのこれから

レッジョ・チルドレン社が運営するローリス・マラグッツィ国際センターはいくつかの事業を行っている。教育アプローチの研究や国内外へのプロモーション、教育機関へのコンサ

ルティング、教師の研修、書籍の出版などである。たとえば、子どもたちの表現の記録は毎年、書籍になる。教育を受けた子ども自身や親が将来読み返すにふさわしい本として配布されるだけでなく、児童教育に携わり研究する世界中の人びとに販売されるのである。

これらのビジネスからの収益が市内にある教育機関の運営に貢献している。設備費や人件費などが通常の学校より余計にかかり、市は予算の四割を教育に割いているが、レッジョ・エミリア・アプローチを可能にしているのは彼らのビジネス実績にもよる。

とはいえ、レッジョ・エミリア・アプローチは、地域のコンテクストと密接に結びついて生まれたものであり、そのまま「輸出」できるものではない。したがってこの教育を知るには、レッジョ・エミリアに足を運び、土地の文化や風景に触れ、学校の建築空間に心躍らせ、教師や子どもたちのコミュニケーションを体験することがどうしても必要だ。年々同地を訪問する人が増えている背景である。

しかし、これこそが、現在彼らの頭を悩ます大きなテーマとなっている。シュタイナー教育やモンテッソーリ教育のようには、「輸出」ができないため、レッジョ・エミリアが認定した学校は世界にない。世界三二か国にある拠点は、レッジョ・エミリア教育のアプローチに関する情報拠点となっており、その国での学校を認定する指導機関ではない。

にもかかわらず、世界一〇〇か国以上に「レッジョ・エミリア教育を実践している」を宣

伝文句にする保育園・幼稚園が後を絶たない。「レッジョ・チルドレン」や「レッジョ・エミリア・アプローチ」という言葉は商標登録されているものの、コピー版の幼稚園も存在する。レッジョ・エミリア・アプローチの研修を受けていればまだ良いが、たんに記録の展示を見ただけとか、本を読んだだけとのケースも少なくない。

すなわち、多くの教育者が、レッジョ・エミリア・アプローチに感化され、そのアプローチを実践しようとしていること自体は喜ばしいが、あまりに質にバラつきがあり、「勝手にやっている」と放置しておくことによって、レッジョ・エミリアというブランドイメージを毀損しないか、という問題に直面しているのである。

レッジョ・エミリアは、モンテッソーリのような固定化したプログラムを排してきたが、仮に認定事業に入るとするならば、何を認定の基準とするかを決めないといけない。また、それにふさわしい体系化、すなわちすべての経験やノウハウが言語化されているかとのチェックも求められる。それにあわせて自分たちのアプローチをブランドという観点でもう一度捉えなおさないといけない。

レッジョ・チルドレン社のジュディチに、「新しいブランド戦略を決めるのは五年以内と理解して良いですか？」と別れ際に聞いてみた。彼女は「二–三年以内には公表できるようにしたい」と答えた（二〇一七年末時点）。

実際にどうなるかは分からないが、目下、緊急のテーマになっているのは確実だ。それだけ、世界各地でそのアプローチが求められているのである。あまり隙間なくシステムを作るのではなく、つまりは「ヒエラルキー」や「認定」という言葉からは離れて実践者に解釈の余地をたくさん与え、それでもシステムとして機能するカタチとはどういうものなのか。新しい世界観を提示してくれるものと期待したい。

最後に、ジュディチにデザインという範疇に対する帰属意識を確認してみた。

「レッジョ・エミリアの活動はソーシャルデザインの領域にある、といってよいと思います。その点ではピエモンテ州のブラからはじまり、世界に普及したスローフードと近いポジションにありますね」と私がコメントすると、ジュディチは「そのように考えたことはないけれども、そう考えても差し支えない」と答えた。ソーシャルイノベーションの先駆者として、審美性との距離感をお互いに近いものとして感じているはず、と私は考えた。両方とも、審美性を判断軸から外さない、という意味だ。

レッジョ・エミリア教育の先進性で感心する点は多々あるが、今現在、イタリアのなかで極めて特殊な教育とは思えない。かなりのエッセンスは現代のイタリアの教育に組み込まれていると見てよいのではないか。だからレッジョ・エミリア教育を語ることは、イタリアの企業風土への説明とつながってくる。

審美性の尊重、日常生活での解釈、そして意味のイノベーションによるサバイバルである。

＊１：Rolando Baldini, Ilaria Cavallini, Peter Moss, and Vea Vecchi (eds.), *One City, Many Children: Reggio Emilia, a History of the Present*, Reggio Children, 2012

第10章

EUで磨かれる「メイド・イン・イタリー」

セラミックを介した文化交流

ヨーロッパをつなぐセラミック文化

EU（欧州連合）は一九九三年からスタートしたが、各国学生の交換留学の推進などにより文化交流が著しく発展した。すでに何百万のレベルの人数が、EUの留学制度の恩恵を被っている。また地方の起業家のための助成金も、自治体だけでなくEUが参加していることが多い。加盟国であるイタリアも例外ではなく、あらゆる活動にEUの影をみる。第5章で紹介したスローフード財団の活動も、EUの資金をバックにしたプロジェクトも多く、私的原産地呼称表示制度であるプレシディアの普及に対してもEUから了承をもらっている。こういう活動のなかで理念・実践としての「メイド・イン・イタ

リー」戦略が磨かれていく。

ここにEUに絡む別の興味深いプロジェクトがある。セラミックをつうじてEU間の文化交流を促進しようというものである。ヨーロッパを旅したことがある人なら、公共建築から住宅まで、さまざまな建造物でタイルが使われているのを目にしたことがある人は多いだろう。また、器に詳しい人であれば、イタリアのマヨリカ焼きやオランダのデルフト陶器、ドイツのマイセン、ブランドでいえば、英国のウェッジウッドやデンマークのロイヤルコペンハーゲン、フィンランドのアラビアといったメーカーに親しんでいるかもしれない。

ここで挙げた以上の各地にセラミック文化があり、そこに生まれた有名無名のセラミック製品がある。それらはヨーロッパの統一性と多様性を具現化するものであり、二〇〇〇年代以降のEUの拡大とともに、その文化的紐帯として注目されてきたのである。

EUの拡大とセラミックプロジェクト

EU（欧州連合）は二〇一四年から二〇一八年にかけて、「セラミックスとその広がり」（Ceramics and its dimensions）というプロジェクトを実施した。

一一か国（チェコ、エストニア、フィンランド、ドイツ、アイルランド、イタリア、ラトヴィア、セル

ビア、スロベニア、スペイン、英国）の二四の機関が参加した。博物館、美術館、研究機関、大学などが主な参加機関だ。総予算の半分にあたる二〇〇万ユーロをEUが助成し、残りの半分を各参加機関が負担した。

このプロジェクトの目的は、ホームページに次のように記されている。

ヨーロッパ全土で、セラミックが、人びとの生活において果たしてきた役割は大きい。住宅であれ、公共空間であれ、私たちはセラミックに囲まれ、日常的に使ってきた。ヨーロッパのセラミックは、異なる地域の文化的要因、技術、使用方法に大きく依りながら発展してきた。共通の要素がありながら、同時に各地域の伝統、ライフスタイル、社会や経済の変化が反映されている。セラミックは表現手段としても明確で、個人の表現を生む余地がある。その特徴とデザインへのさまざまな可能性によって、セラミックは人びとの生活において、重要な役割を果たしてきたし、将来もそうあり続けるだろう。これがこのプロジェクトのテーマである。

こうした理念のもと、各国の機関がシンポジウム、展覧会、ワークショップなどを開催し、横断的な協力関係を築いてゆくと同時に、セラミックの新しい素材や用途の開発を目指した。

たとえば、展覧会のタイトルを列挙してみよう。

・「セラミックからみる欧州の文化的ライフスタイル――バロックから今日まで」
・「欧州の建築におけるセラミック」
・「映画・CM・写真にみる小道具としてのセラミックとその適用性」
・インタビュー集「私にとってのセラミック」
・ワークショップ「未来を形づくる――セラミック開発と明日のデザイン」
・アイデアコンペ「セラミックを用いた未来の照明」

このように、さまざまな角度からセラミックに焦点をあてている。ここから読み取れるように、このEUのプロジェクトのカテゴリーは文化であり、産業政策ではない。実のところ、セラミックをテーマにしたEUのプロジェクトは、これが初めてではない。二〇〇〇年に「カルチャー2000」というプログラムのもとで行われた四年間のプロジェクトがそのスタートであり、すでに二〇年近くの歴史がある。「カルチャー2000」とは、「EU内の文化的多様性、クリエイティビティ、異なる文化機関とアーティストたちの交流を促進し、人びとが文化に接触できるようにする」ことを目的としたプログラムであった。

このプログラムの背景には、二〇〇〇年代初めのＥＵ拡大があった。チェコからバルト三国までも含めた中・東欧の多数の国々がＥＵに加盟した時期であり、拡大ＥＵにおいて新旧加盟国がお互いにどう協力していくかとの問題に直面していた。そこで、各国に共通しながら、独自の技術と文化表現をもった素材を介した、交流と比較が求められていた。

こうした理由から、セラミックに白羽の矢が立てられたのである。

なぜセラミックなのか？

セラミックの歴史とは、人類の歴史に匹敵するもので、先史時代の土器にはじまり、高い価値をもつ美術品や工芸品から、建築やインテリアの建材、昨今の高度に工業化されたファインセラミックスまで、その幅は大きい。専門書の定義を引くならば、「人為的な処理によって製造された非金属・無機・固体・材料を一般的に表す言葉であり、ギリシャ語のKeramosに由来した英語である。陶磁器、ガラス、セメント、耐火物などは古くからのセラミックスであり、最近の精密で高度化した電子材料、機械材料などは、ニューセラミックス、あるいはファインセラミックスと呼ばれている」（『これだけは知っておきたいファインセラミックスのすべて』日刊工業新聞社、二〇〇五年）。

欧州におけるセラミックは、中世の時代に錫釉を使うことで白い釉薬が可能になり、絵付けの自由度が広がり大きな発展を遂げる。この発信地がイタリアのマヨリカ焼きの中心であるファエンツァであった。このセラミックはファイアンス焼きというファエンツァのフランス語読みの名前で16世紀半ば以降、欧州各地に伝播していった。一七世紀になると、アジアとの貿易をつうじて輸入された中国の白磁や日本の伊万里焼きといった東洋磁器に触発された、オランダのデルフト陶器が一世を風靡した。さらに、一八世紀初頭に、ドイツのマイセンで初めて白磁の製作に成功し、欧州での磁器の歴史が本格化する。また、同じく白磁に成功した英国のウエッジウッドは、ポンペイ遺跡などの発見からはじまる、ローマ・ギリシア文化の荘厳さに立ち返る「新古典主義」に影響を受けた磁器を発明し、人気を博す。

このように、セラミックは日用品から装飾美術までヨーロッパ各国に広がり、切磋琢磨しながら、大胆に変化し、受容されていったという歴史がある。さらに、新しいテクノロジーとアート・デザインとの交差点にあり、ビジネスとの共存が極めて自然に行われてきた分野である。古くより、メーカーはアーティストやデザイナーとの付き合いが長く、強い絆がある。

ゆえに、各国の人が自分の文化に誇りをもちながらも、他の文化に敬意を払いやすい。しかも莫大な資金を要さず、他の文化圏のノウハウを獲得するのがさほど難しくない。欧州全体のクラフツマンシップと称されるカテゴリーごとの企業データを見ても、セラミック工房

はジュエリーやテキスタイルと並び、企業数でも多い部類に入る。それだけ「ビジネスの草の根文化交流」が可能なジャンルということだ。

他方、現代のセラミックは自動車やロケットのエンジン部品に使用される、という先進技術の世界でも活躍する。「セラミックスとその広がり」においては、まだこの先端技術の次元を協力パートナーには入れていないが、当然、この文脈の延長線上にそれらへの挑戦があるのは明白だ。セラミックの示唆する範囲がどんなに広く、使い勝手がよいか、お分かりいただけるだろう。

セラミックをつうじて共通言語を洗練させる

しかしながら、黙っていてセラミックが主役にのぼったわけではない。スローフードの場合と同じように、ＥＵへの民間ロビー活動が背後にある。

中世の時代からセラミックの街として有名なファエンツァ市の国際セラミック博物館の館長、クラウディア・カザーリはこう解説する。

「ドイツのポルツェラニコン磁器博物館がリーダー的存在で、ＥＵにたいして戦略的に動いています。というのも、この博物館には世界的ブランドメーカーのローゼンタール社がバッ

クに控えており、EUは彼らの企業力を無視できないのです」。

ファエンツァ国際セラミック博物館は一九〇八年の創設で、紀元前から現代に至る、世界各地のセラミックコレクションを保有しているトップレベルの博物館である。そのコレクションには、ピカソ、マチス、シャガールといった巨匠が陶磁器を用いた作品も含まれている。

館長が言及するポルツェラニコン磁器博物館とは、ドイツとチェコとの国境に近いバイエルン州ゼルプという磁器の街にある。一見すると、ドイツの博物館をもつドイツの企業の動きとも見られるが、ローゼンタール社は二〇〇九年、イタリアのカトラリーとキッチンメーカーグループであるサンボネット・パデルノ・インドゥストリア社に買収されている。すなわち、国境を越えた民間ビジネス活動と文化交流の需要がピタリと合っていることになる。

カザーリによれば、「セラミックのフォーマットは欧州のなかで成果を出してきましたが、木、ガラス、メタルなどの素材で同様の形態のコラボレーションは、私が知る限りありません」とのことである。

これまでの、EUのセラミックプロジェクトをいくつか挙げると、二〇〇五年から三年間は「人びとと陶芸」、二〇〇六年から二年間は「アドリア海沿岸地域におけるセラミック」、二〇一〇年から二年間は生涯学習のプログラムなどがある。

「欧州はセラミックをめぐるプロジェクトをいろいろ経験してきました。二〇年前は、各国

の博物館が統一された基準で運営されていなかったので、最初は共通言語がなくてコミュニケーションにも苦労しました。しかし、基準の整備と経験が積み重なることで、現在は交流がとても楽になったのです」とカザーリは語る。たとえば、「アドリア海沿岸地域におけるセラミック」プロジェクトでは、ファエンツァ国際セラミック博物館がリーダーとなり、セルビアやクロアチアなどのセラミック博物館一二か所の組織や運営を比較分析し、同じセラミックを素材にしながら地域のコンテクストにより博物館ごとに差異があるのか、共通点はなんなのかを明らかにしていったのである。

博物館自体の役割が変わりつつあるなか、かつてのように常設展示を教育機関関係者や学生あるいは旅行者が見学する場だけではなく、展示品に関する知識や文化的価値を伝えていきながら、新しい意味をつくっていくような役割を目指したのである。文化交流を推進するベースがこうして構築されてきた。

学習の場としてのＥＵ

従来の枠から外に踏み出さないといけない博物館や大学にとって、このような二〇年近くにわたる文化交流をつうじて企業に接近できる効用は大きい。企業は文化の看板のもとで広

いネットワークをつくり、マーケットリサーチや製品開発の手がかりを得て、新規ビジネスの開拓ができる。両者にとってメリットが大きい。

文化交流で得た異なった文化コンテクストの理解がビジネスに貢献し、EU加盟国全体のレベルの底上げができる。また、EUプロジェクトは一見ローカル文化の味を薄めるようにも見えるが、現実は反対で、無駄な障壁を減らしながら個々のローカルの文化の特徴を際出たせる仕掛けをつくっている。

ファエンツァの例でいえば、同市と国際セラミック博物館の共催で二〇〇八年より隔年で「アルジッラ」という名のセラミックの祭典を毎年九月に開催するようになった。一九九一からフランスのマルセイユで開催されていたイベントの「スピンオフ」である。二〇か国以上の国のメーカーや工房が集まり、セラミックのアート・デザインから雑貨やファッションアクセサリーに至るまで、広い範囲の作品や商品が人口およそ六万人の街のあらゆる箇所で展示される。ブースの出展者は二〇〇以上、学校や自治体枠の参加では二〇以上の団体である。並行してワークショップやカンファランスが実施され、セラミックをテーマに業界人と一般人の双方で議論を積み上げていく。

この三日間のイベントにセラミック作品のコレクターが集まってくるので、ここで売買が発生するだけでなく、新しいトレンドも生まれていく。セラミックの「意味のイノベーショ

ン」の端緒を築いていくわけである。そして、その新しいトレンドを欧州各地の大都市にあるセラミックアートのギャラリーも注目しているのだ。

すなわち、EUのプロジェクトでできたセラミックのネットワークが、そのままビジネスにも転用され、かつその情報発信地としての特典を活かし、主導権をもってネットワークが強化されている。

メイド・イン・イタリーの観点からさらに説明するならば、意味のイノベーションには文化コンテクストを読む力が前提になる。文化コンテクストの読解なしに方向転回は図れない。それは徒手空拳に等しい。よってイタリアの中小企業は戦略や戦術の前に、文化コンテクストの読解に優れるという点を特記すべきなのかもしれない。しかも、セラミックに見るように、その力をEUのプロジェクトで増強させている。EUが絶好の学習の場であるのは、EUが文化の共有を加盟国の条件としているところで、アドリア海沿岸のプロジェクトにあるように共通点と差異点を見極めやすいのだ。

文化的に近い領域を絞りながら、意味のイノベーションへの勘はこうして磨かれていく。

コラム3

三つ子の手遊び、百まで

「物心がついたころから中学生になるくらいまで、泥で食べ物を型どって円に並べ、そこに葉っぱや草を飾にするような遊びをずっと飽きずにやっていたんだ。とにかく、練るのが好きだったよ」

こう語るのは、ミラノで評判のイタリア料理店イノチェンティ・エヴァジョーニの共同オーナーであるエロス・ピッコ、四三歳だ。二〇〇七年からミシュラン一つ星を維持している。

ピッコの両親は金属加工の工場を経営していたため、祖父母の家にいることが多かった。広い敷地には自然があふれ、動物に触れる機会には事欠かなかった。そこで、土いじりの楽しさを覚えたのである。いわば、シェフに通じる遊びを幼少の時からやっていたわけである。

彼の話を聞いていると、現在やっていることが仕事にせよ趣味にせよ、子供の頃の経験に由

来していることに気づく。

一二歳の時、叔父さんの経営していたミラノ市内のレストランで手伝いをしたのが、この道に入る契機となった。最初は野菜を洗うなどの単純作業であったが、クリスマスに提供する伝統料理の盛り付けが、幼少のころに泥遊びとまったく同じであることを発見した。「遊びのように仕事する面白さを知ったんだね。シェフになろうと決心したのは、あの時さ」と語る。

高校は三年間（現在は五年制）、ホテル関係の学校に通い基礎を学んだ。在学中の休暇は、アオスタのホテルレストランの厨房で修業を重ねた。卒業後、いくつかのレストランで働いたが、その度に多くを学んだ。あるレストランでは素材の選び方に刺激され、あるレストランではホール担当がナイフやフォークに日々磨きをかける姿に感銘をうけた。

こうした経験を積み重ねるなかで、後の共同経営者となるトンマーゾ・アッリゴーニとも知り合った。

ピッコが新たな挑戦の必要性を感じたのは二〇歳前後だ。一九九〇年代の前半であり、この時期、イタリアの料理界は大きな変化の時期にあった。一九七〇年代のフランスに端を発したヌーベル・キュイジーヌの洗礼を受け、イタリア料理界にも変化は起き始めていたものの、新しいコンセプトはすべてフランスにあった。

これはフランスで学ぶしかない。そう考えた彼は、一五〇通のレターを書いて、ミシュランガイドの星付きのフランスのレストランに片端から送った。返事は四通。残念ながら二通は断りの手紙で、残りの二通が二つ星と一つ星からの受け入れを承諾する内容だ。彼は迷わず二つ星を選びフランス北西部にあるシャトーに向かった。厨房には三〇人の料理人と一〇人のパティシエがいた。イタリアで彼が働いてきたレストランとは、すべてがまったく違った。

「料理の仕方が違うんですよ。メンタリティが異なるとしかいいようがない。料理人のコンセプトもね」

何事にも厳格で細かく技術が重視される。

「ちょっとでも上着にシミがあったり、髭の剃り残しがあると出直してこい！　と怒鳴られました。軍隊みたいですよ。レシピもまったく指示された通りにやらないとダメ」とストレスフルなフランス修行の日々を振り返る。基礎を徹底して教え込まれた。ピュレの何たるかを理解し、師匠に納得してもらえる味を出すにも半年を要した。

クリエイティブという言葉の使い方の違いにも気づいた。フランス料理ではベースそのものを変革してこそクリエイティブであると称されたが、イタリア料理ではベースを変えずに何かをプラスアルファすることでもクリエイティブであると形容された。一九九〇年代の前

半、そういう差異が両者にはあったのである。

「でも、この差をもってフランスが進んでいてイタリアが遅れている、とは思わなかった」と強調する。結局、彼が学んだのは、色々と違いはあっても料理のエッセンスにおいてイタリア料理もフランス料理もないということだった。

イタリア帰国後、何か所かのレストランを経由して一九九八年、アッリゴーニとともに現在の店を開く。当然、「フランスをほっつき歩いていた」二〇代の若造に銀行はお金など貸してくれないので、そこで二人の父親が出資金を折半してくれた。この借金からのスタートが二人をして発奮させたという。

オープンしてすぐに満席の日々が続く。珍しい素材を使ってエレガントな盛り付けをするレストランは、まだミラノに少なかったが、おそらくそれだけではない。というのも、実は、僕自身、オープンして一～二年の頃にそこで食事をしたことがあるが、装飾過剰ではない内装や庭のあるホッと息がつける食空間に魅せられた一人である。数年後には借金を完済できた、とのことである。

そんな彼はいま「髭剃り」にはまっているという。床屋でやるように、ブラシで泡をたてじっくり一枚刃の剃刀をスッとおろしていく。これが快感らしい。

「こうやって肌に刃をあてるでしょう？　すると、スッと自然に肌の上を流れていくんだ

よ」とジェスチャーしながら説明してくれる。使っている剃刀は、ペルージャにある一五代、つまり五〇〇年は続く鍛冶屋で作ってもらったものである。彼はこの刃の出来が気に入り、厨房で使う包丁も、自らデザインして作ってもらっている。

「魚に包丁を入れたとき、ぼくの手を包丁が導いてくれるんだ」と、手と刃物が一体化するときの感覚を語る。実はこれも、実家が金属加工の工場を経営していたため、祖父母の家にも鍛冶に必要な設備があり、メタルを熱して叩き出してかたちづくって遊んでいたことに由来する。その記憶が二〇数年を経てよみがえり、剃刀や包丁への拘りに繋がってきている。

三つ子の魂百までとはいうが、この人の人生は幼き頃の手遊びが決めてきたのではないだろうか。

終　章

日本のビジネスパーソンが「メイド・イン・イタリー」から学べること

「メイド・イン・イタリー」の経営戦略を知るのは、日本の企業人にとって、どのような意義があるのだろうかと考えながら、ここまで書いてきた。少量の高級商品と大量の低価格商品に二分化した世界において、量と価格で中間領域の市場をふたたび作っていくことが重要であり、それにあたって「メイド・イン・イタリー」の考え方は有効ではないかと考えている。また、いわゆるラグジュアリーブランドと呼ばれるカテゴリーへの入り方の示唆にもなるのではないか、とも期待している。

最終章では、日本のビジネスパーソン、特に中小企業の経営者が注目するとよい点を強調しておきたい。以下の四つに絞られるだろう。

①中規模量産へのアプローチ

②あえて「余白」を残すこと
③「好き」「美しい」「美味しい」を出発点とすること
④機能やテクノロジーとの向き合い方

順を追って要点を記していく。

①中規模量産へのアプローチ

イタリアと日本では想定している量産のスケールが違う。日本で「それを量産というのか?」と思われるボリュームであっても、イタリアでは量産という言葉を使う。新明解国語辞典によれば、量産は「大量生産の略」とあり、流れ作業により一時にたくさんの製品を作ること、とある。

一方、イタリア語では「produzione in serie」が量産にあたる。一続きに作る、という意味だ。大量生産を指す場合もあるが、基本的には一度限りのプロダクトではないことを想定し、そう長くない一定の時間を使って、同じ製品をまとまって作ることだ。大量生産は「produzione in massa」との表現を使う。英語のmass productionである。これはある時間内

で同じ製品を大量に生産することだ。

前述の表現から窺い知れる日本とイタリアの差異は、イタリアでは量産が量をあまり規定していない、という点である。量産といえば、大企業の大量生産を真っ先に連想する日本のビジネス風土との違いがある。また機械加工やベルトコンベアーを使った組み立てなど、製品の種類によってさまざまな条件があるが、イタリアではこのプロセスが自動化されているかどうか、手作業の部分が少ないといった項目が、量産の定義のなかで日本ほど優先順位が高くないと推測できる。さらにいえば、量産という言葉に多様な解釈が入る余地が大きい。すなわち、同じ製品を一定量作るロジックが柔軟である。したがって中規模量産がイタリアでは視野に入りやすい。

このような視点の違いを知ることが、日本のビジネスパーソンの視界を広げる。ことに、量産品のカスタマイズやパーソナライズが課題になっている現在、量のサイズ感や適度な価格帯の量産品を考える際のヒントになる。

当然ながら、大量生産の数を減らしていけば中規模量産になる。これは言ってみれば、「質の向上」と「価格の上昇」を同時に図ることを意味する。量の減少で製品一つあたりの生産コストが上昇するだけでなく、価格のアップに見合ったより価値あるものにしなければならない。しかしながら、数量を減らした分、質を上げるというのは極めて難易度が高い。

製品の質感からコンセプトの質に至るまで広いレンジを対象とし、それらの関係を調整するのは新しい商品企画をするのに等しい。

一方、質を維持したまま数量を上げていくのは、主に生産効率がテーマになる。簡単であるとはいわないが、大から小より、小から大の方がやりやすい。この小から大へのロジックのつくり方を本気で考え、試行錯誤を重ねてきたのがイタリアの中小企業である。職人的なプロセスを重んじる「アルティジャナーレ」と、審美眼を満たすレベルのデザイン（小さなデザイン）のなかに、経営戦略的な方向性（大きなデザイン）を入れ込み、「意味のイノベーション」を仕掛ける。それらの工程を進めるのに厳密さをあまり求めない。柔軟性を示す「エラスティコ」が、ここで発揮する。

そうしたアプローチは、工業製品だけでなくスローフードやレッジョ・エミリア教育というまったく別の分野にも共通して窺える。

②あえて「余白」を残すこと

アルティジャナーレが市場で有利な立場を得るのに有効であるのは、高めの価格をつけやすいだけではない。生産者の顔を見えやすくするからだ。どこのどういう人間が作っている

かが見える。

人間中心設計（HCU）やユーザー・エクスペリエンス（UX）が製品開発の方法として企業の間に普及すればするほど、逆にその人間観やユーザー理解が問われることになり、「本当に分かってるの？」と突っ込まれる可能性が増える。また、ユーザーインタビューや観察など定性的な分析を経ていても、それらのプロセス自体が透けて見えてしまうと、ユーザーは白けてしまう。

生産者の顔が見えるのと、確立されたプロセスが見えるのでは違うのだ。生産者の顔が見えるのが良い、というのは農産品などの安全性を引き合いによくいわれる。同様に、工業量産品でも、生産者の顔が見える方が良い。「この人たちなら、良い製品を作ってくれるだろう」という信頼をもたれやすく、分析的なデータがなくても「私の気がつかない範囲を超えた」とユーザーに確信させる何かがある。ファッション分野で「エシカルファッション」と称し、倫理が今さらながらに重視されるのは、これまで同分野のサプライチェーンがあまりに不透明すぎ、「生産者の顔を隠してきた」との反省が根底にあるからだろう。

ここで重要なのは、「ユーザーに確信させる何か？」をあえて説明しないことである。むしろ、余白を作って、ユーザーに解釈をゆだねる方がいい。ここを言語化しないでミステリーゾーンとして構築するのが、イタリアのビジネスパーソンの強みである。「ミステリーゾ

ーンを残さないで、どうしてブランドが作れるのか?」、イタリアのビジネスパーソンはこう考えるのである。

日本のビジネスパーソンも、ここまで言える覚悟をもつのが良い、と私は考えている。ここまで言えて初めて、「アルティジャナーレ」の生産方法や開発方式を「独善的」ではなく、「正当性」としてアピールできる。イタリアの企業人の正当性への確信の持ち方のありようこそが、実は日本のビジネスパーソンが学ぶべき筆頭にある。

イタリアの企業人は、どのような企業サイズであろうと、自分たちの今ここで下す判断がこの世でベストであると確信する「近道」を知っているのだ。世界には評価の高い経営の教科書が山ほどにある。しかしながら、それらのすべてを使いこなせない以上、自らが下す判断が「自分にとってのベスト」であることを自覚している。

日本のビジネスパーソンの弱い点はここである。いつもどこかに正解があるはずだと、その正解探しや権威探しに延々と時間とエネルギーを使う。イタリアの企業人なら七〇－八〇%の確信がもてれば前進する妥当性があるはずと考えるところを、日本の企業人は残りの二〇－三〇%を埋めるにはどうすれば良いかに時間とエネルギーを使いすぎてしまう。

しかし、残りの部分はデータによるのではなく、直感的な状況判断によらなければどうしても埋まらない性格の部分である。よって数字や論理で一〇〇%のデータが揃わないことに

後ろめたさを感じないことが大切だ。そうした思考に慣れた中小企業にこそ強みがある。

③「好き」「美しい」「美味しい」を出発点とすること

イタリア企業の強みである「意味のイノベーション」は、前述した確信の持ち方をベースにする。意味は数量化できないのである。しかし、この意味の圧倒的な強さをどう発揮するか、どう他者に受け入れてもらうか、そのための工夫を日本のビジネスパーソンはさらに研究するとよいと思う。その肝は、案外みなさんがよく知っていることだ。

それは、好きであるかどうか、直観的にカッコイイと思うかどうか、そしてそれらを支持するかどうか、である。「審美性」は確信を得るための出発点なのである。自らを突き動かすものがなんであるかを知っている時、自らの判断に確信を持つことができる。逆に、この審美性がないと、「表面上、論理的に聞こえる雑音」に惑わされる。

さらに付け加えると、「好き」や「美しい」は個人的な判断である。チームワークで議論して決めることではない。それらは他者より劣っているとか優れているとの指標にはのらず、判断や選択の基準が個人に依っているのを当たり前とする。オーナーシップは、判断した人自身が実感できる。当然ながら、マンテーロ・セータ社で紹介したように、個々の審美眼だ

けでビジネスの方針が決まるわけではないが、方針を決める根底に個々のメンバーに揺るぎない判断軸が一つあると、プロジェクトが前進しやすい。

これがイタリア企業のデザイン戦略の特徴とまたつながる。デザインは、現在、モノの色・カタチのスタイリングだけでなく、企業や社会、コミュニティなど、対象を大きくしていることは本書の最初で述べた。便宜上、スタイリングを「小さなデザイン」、対象を広くとったものを「大きなデザイン」と私は名付けているが、特に大きなデザインは、米英などのアングロサクソン系やスカンジナビア諸国で実践されていると喧伝されている。しかし、これらの国でのマイナス点は、往々にして大きなデザインと小さなデザインの間に距離があることだ。大きなデザインの成果物が目に見えるものとして、美的にいただけないことが少なくない。どんなに立派なグランドコンセプトであっても、「結果が美しくないものを評価できるか?」との疑問がでる。

この点、イタリア企業では小さなデザインと大きなデザインの距離が近く、小さなデザインが大きなデザインの真髄を上手く物語っていることが多い。好きになってもらいやすい美しいモノこそが、人の頭と心を動かすことをよく知っている。食の世界にいけば、「プロセスがオーガニックでもエシカルでも、不味(まず)けりゃダメじゃん」という反応が自然にでる。こういう判断軸があるため、意味のイノベーションを得意としやすいのである。

日本人は工業製品にせよ料理にせよ、小さなデザインで力を発揮してきた。つまりは意味のイノベーションの重要さを分かり、それを得意とする文化土壌がある国といえる。とするならば、日本の人たちが、意味のイノベーションを手の内に入れようとするのは、とても理にかなっていると私は思う。

④機能やテクノロジーとの向き合い方

エットーレ・ソットサス（一九一七－二〇〇七）というイタリア人デザイナーがいた。一九六〇年代、タイプライターで有名なオリヴェッティの全盛期を支えた工業デザイナーである。巨匠と称するにふさわしい。

その彼が一九九〇年代前半、齢七〇代後半の頃、次のようなメモを残していた。

「オリヴェッティの仕事とメンフィスの仕事のどちらが簡単だったか、と聞かれることがある。オリヴェッティの仕事は簡単だったが、メンフィスはとても難しかった」。

メンフィスとは彼が一九八〇年代に主宰したグループだ。世界のデザイン界に大きな影響を与え、ポストモダンを先導した記念碑的存在である。機能的とは程遠いカラフルな家具などをデザインし、一時、イタリアデザインの象徴といわれた。

そのソットサスが、機能を考えるオリヴェッティの製品デザインは容易だったが、新しい意味を提示するメンフィスの活動は苦労したというのだ。以下もソットサスのメモだ。

——女性に花をプレゼントするに際し、花の機能など考えるだろうか。——

ソットサスはエンジニアリング的合理性自体を低く見ているわけではない。しかし、意味を問うことこそに「意味がある」と考えている。

ひるがえって、日本は高度経済成長期からはじまり、長らく「テクノロジー先進国」と自他ともに認めていた。そしてあらゆる問題はテクノロジーで解決できる、と信じたい人が多かった。もちろん、テクノロジーが多くの問題の解決に貢献するのは確実だ。しかし、残念なことに、日本はテクノロジー先進国と宣伝できるポジションを失いつつある。それにもかかわらず、テクノロジーが対象とする問題だけに焦点を合わせようとする。

他方、テクノロジーの「本当の問題」への解決能力には限界がある。そのことを理解しはじめている人も徐々に増えている。たとえば、ＡＩが人間の知性を凌駕し仕事を奪うといったスキャンダラスな煽りがあるが、ＡＩと人間との棲み分けの話にすぎない。人間が主でありＡＩが従であるのは、論議するに値しない前提である。そう認識する人がじょじょに増え

ている、ということだ。

イタリアという国は先端テクノロジーに依存しない産業をじっくりと育ててきた。もちろん、先端テクノロジーに依存しなくてもやっていける、と政府や財界人が語っているわけではない。ある分野ではそうしたテクノロジーで世界を引っ張らないといけないと自覚している。しかし肝心なのは、先端のテクノロジーをもたない中小企業の企業人は、それに依存しないビジネスのあり方を懸命に考えてきた。これが衣食住といったライフスタイル分野で存在感をつくるに至った。その際のベースに「人間」や「社会」への深い理解がある。それによって技術と人間の乖離を埋めることに注力し、グローバルに受け入れられる製品を開発してきた。

世界を俯瞰して見て、ライフスタイル分野に置けるラグジュアリーブランドは、フランスとイタリアが圧倒的にリードしている。時計でスイスが加わる程度だ。ドイツは、この地図のなかにあまり入ってこない。日本にも茶道の道具などに高額帯のモノがあるが、グローバル市場と呼ぶようなものはない。

今、世界中のビジネスパーソンたちは「どのようにしたらモノやサービスを高く売れるようにできるか？」に関心がある。その際に一九世紀にあった貴族やブルジュアの文化に根ざした商品だから高額である、とのセオリーはあまり参考にならない。いかにも短い期間で新

しいコンテクストを市場につくり、意味のイノベーションを成功させるか、この一点に視線が注がれている。しかも、環境や倫理などの点で、社会的責任を全うすることが期待されている。ラグジュアリー市場の新しい購買層、すなわち若手世代はラグジュアリーの企業に社会的責任をより果たすことを求めている。当然、そうしたコストがすでに価格に含まれていると考えているのだ。

日本の企業、特に製造業にかかわる人たちは、一度テクノロジーを土俵外において発想する術をイタリアのビジネスから習うと良いだろう。順序としては、まずビジョンとコンセプトの構築に時間をかけ、どうしても必要なテクノロジーをそのコンセプトのうえに載せる、ということだ。新しいテクノロジーが新しいヒントを大いに提供してくれると承知したうえで、一度テクノロジーを視野の外においてみるのだ。

これが日本の経済の新しい方向を作る一つの道筋である、と私は考えている。

おわりにかえて

本書は一年半にわたり、株式会社タナベ経営の月刊誌『FCC Review』に連載した原稿をもとに、大幅に加筆修正したものだ（コラムは二〇一四年から二〇一五年にかけ、日経ビジネスオンラインに連載した『イタリアオヤジの趣味生活』より抜粋し、加筆した。情報は当時のまま）。二〇一六年秋、「Made in ITalyの経営戦略――存在感ある中堅・中小企業の深層」という連載タイトルを決めたのはよいが、世界各国で求められている話題かどうか、実のところ当初、一〇〇％の確信がもてなかった。

イタリアの中小企業経営や産業集積地が一九八〇－一九九〇年代に世界的に注目されたものの、二〇年以上を経た現在も、日本ではそれらだけがイタリアのビジネスイメージとして継続している感もあり、アップデートする必要があると思った。

しかも、日本でイタリアのビジネスを語る人は、圧倒的にファッションと食の関係者が多く、この分野の現場経験がそのままイタリア企業経営論になりやすい。したがって、イタリ

ア企業経営への違ったアングルを求める層が日本にいるはずだと考えた。

しかし、日本以外の人はどうなのだろうか。イタリアの人たちが、「Made in ITalyの経営戦略」を議論するのは当然であるが、イタリアの外の人たちが関心をもつかどうか、その点が気になったのである。ホット過ぎる話題であれば私の出番はないが、あまりに関心が低いと資料を集めるのにも苦労するはず、と考えた。

ミラノ工科大学でファッションマネジメントなどを教える経営学の先生に相談したところ、ヴェネツィア大学のステファノ・ミチェッリと、その教え子であるパドヴァ大学のマルコ・ベッティオーリの二人が、この分野の研究を先導していると教えてくれた。二人の本を読み、即、メールを送り面談を申し入れた。ベッティオーリとはすぐ会えた。しかしミチェッリとは都合がつきづらく、何度もアポが延期になり、会うまでに一年以上かかった。

師弟だといって同じことを語っているわけではないが、彼らに共通するのは、二人ともヴェネト州をコアにしたイタリア北東部の企業に詳しい、ということだ。かつてイタリアの高度経済成長はミラノ、ジェノヴァ、トリノで形づくる三角の地域、すなわち半島の北西部が支えた。しかしながら重工業が過去のものになり、西側の勢いは減じてきた。同時に家具のような「軽い産業」は、ミラノ周辺から東のエリアが強くなっていく。

本書でも取りあげたが、ここに面白い企業が多い。ピアノのファツィオリは存在を知って

いたが、取材対象として意識したのはミチェッリの本のおかげだ。だが、他の会社は面白いネタを探していたら偶然にヴェネトだったのだ。ワインのプロセッコやジーンズのトラマロッサは、その例だ。

ミチェッリとベッティオーリの本が取材の指針を与えてくれたのはたしかであるが、ヴェネト州のリサーチが主眼ではない。それだけでは全体が見えない。そうして一年半以上にわたり、数々の人に出会う旅がはじまったのである。その過程で、メイド・イン・イタリーが「旬」の適切なテーマであると確認ができた。ボッコーニ大学経営史の教授であるアンドレア・コッリやアマゾン・イタリアへのインタビューの成果だった。

意味のイノベーションの文化土壌

インタビュー対象に選んだ企業は、手あたり次第にアポをとったわけではない。むしろ慎重に見極めて選んだ。それには、二つの理由がある。

三〇年近くイタリアに住んでビジネスをしてきたので、今回のテーマに対して、実務経験からの基礎知識も勘もあった。数えたことはないが、一〇〇を超える企業の人間と話してきたはずだ。多くの実業家にインタビューすれば、「ルネサンス工房の伝統を継いでいる」

というステレオタイプなイタリア経営観を耳にタコができるほどに聞かされるに決まっている。よってインタビュー数をむやみに増やすのは無駄であると思った。これが一つ目の理由だ。

それでも、かつてステレオタイプな語りをしていたような経営者が、今も相変わらず同じような喋りをしているかは確認しておきたかった。つまりステレオタイプの中身に変容があったかどうかである。あるいは私自身、ステレオタイプが本当に意味するところをかつて理解していたか、との反省もある。そのために、原稿に具体的には書いてないが、あまり目立たない中小企業の経営者の話にも耳を傾けた。

二つ目の理由は、イタリア企業が存在感をもつのは「意味のイノベーション」が得意である、との点を仮説としたからだ。ゆえに、意味のイノベーションの成功事例を意識して取材先も選んだ。いわば、仮説の検証という意図があった。

冒頭に述べたように、「意味のイノベーション」はミラノ工科大学経営工学のロベルト・ベルガンティの著書『デザイン・ドリブン・イノベーション』『突破するデザイン』に依っている。前者にイタリア企業の例が多い。ベルガンティが一九九〇年代終盤から関与した研究プロジェクトが同書執筆の動機ともなっているからである。そのプロジェクトの目的は、イタリア企業のデザインプロセスを経営面から明かすことだった。というのも、イタリアデ

ザインの強さは、デザイナーよりも企業の経営者に起因しているとされていたが、経営判断プロセスが不可視の次元に隠されていたのだ。後者ではイタリア企業の例はあまりでてこない。ベルガンティは意味のイノベーションの汎用性を強調するために、後者では意図的にイタリア企業を少なめに抑えた、と私は感じた。

さらに、二冊の間にはおよそ一〇年の年月が経っている。よって調子がよいイタリアの事例のアップデートが必要である。またベルガンティがとりあげていない業界や分野での意味のイノベーションの例を紹介することで、意味のイノベーションの理解も深められ、さらにイタリア文化一般の傾向としての意味のイノベーションの存在感を示すことができる。そこで意味のイノベーションを用いた、好調なイタリアの事業例のアップデートも重要ではないかと考えた。

当然というべきなのだろう。意味のイノベーションを説明し、それが「イタリア中小企業の存在感の大きな理由であると考えている」と話すと、イタリア企業人の誰もが首肯した。「そういわれてみればそうですね」という反応ではなく、「それはもう確信をもっていえるね」という口調が多数であった。

こうした結果から、たとえ意味のイノベーションという言葉が定着していなくても、概念や思考プロセスはイタリアの土壌に根づいている、と確認ができた。ベルガンティは、イタ

リアの初等教育にある「アートをつうじて解釈の仕方を学ぶ」との伝統が、この土壌を作っているとも語っている。モノゴトへの立ち向かい方が、言葉やラベルがなくてもすでにある傾向をもっていたことになる。それをベルガンティが「意味のイノベーション」という概念でシャープに分析したわけである。

アルティジャナーレを多く語る背景

「アルティジャナーレ」（職人的）が中心テーマになるとは予想していた。この言葉をイタリア企業の特徴として挙げないビジネスパーソンはいない。そういっても大げさではない。

パドヴァ大学のベッティオーリも、ベルガンティの『デザイン・ドリブン・イノベーション』にアルティジャナーレへの言及がないのを残念がっていた。本の目的と構成上致し方ないが、ベッティオーリは、「意味のイノベーション」と「アルティジャナーレ」をセットで語る大切さを話していた。

イタリア人経営者のステレオタイプな話では、「ルネサンス工房の伝統」と「アルティジャナーレ」の二つが一緒になって登場することが多い。ルネサンス工房におけるアルティジャナーレ文化はアートと密接な関係をもち、アーティスティックな要素を巧妙に表現する術

をもっており、一人ひとりが役割で分断されることなく、総合的視点をもって仕事に望むので、全体にバランスが良いという。

この観光案内のようなアルティジャナーレのイメージを、私はやや過小評価していたきらいがある。取材をスタートしてから、自分の生半可な理解を反省することになる。ステレオタイプには、やはりステレオタイプになるほどに語るべき内容が詰まっていた。

驚いたのは、アルティジャナーレにはさまざまな解釈がある点である。この解釈が多いという事実は、定説がないという意味ではない。それだけ大きな関心を呼ぶ議論の対象なのだ。二〇一二年にクリス・アンダーソン『メイカーズ』がデジタル時代の製造業を世に問うた時、イタリアでは同書をアルティジャナーレとの関連で思考を深めようとする人がいた。

アルティジャナーレは良くも悪くも、彼らの文化アイデンティティの柱である。よって引き合いに出されるケースが非常に多く、それが我田引水的に使われる。極端にいってしまえば、手を使った作業であればなんでもアルティジャナーレ文化の賜物といえてしまうのである。

そこで私は彼らの我田引水を批判の対象にするのではなく、それに陥る全体的な背景に光をあてることが、イタリア企業経営の理解に役立つだろうと考えた。こうして分かったのが第3章で紹介した、戦後のキリスト教民主党がとった政策だ。アルティジャーノを中心にし

た小さい企業が社会発展のために不可欠の存在であるとの考え方を定着させ、そのための法的整備が図られたのだった。

この現実を支えるのが第2章の、アルティジャーノを伝統的な素材や技術で活動する領域とは区切らず、その行動規範・特性や思想を重視している点である。「アルティジャナーレ」と形容詞として多用されるのも、この言葉の性格を物語る。

これらの帰結として、ヴェネツィア大学のミチェッリは「アルティジャナーレ文化を語るのは懐古ではなく、将来を見据えた戦略的な視点に基づいている」と説明するわけである。

「小さなデザイン」と「大きなデザイン」を分けない

「メイド・イン・イタリー」のブランド力とデザインの関係は切っても切れない。このデザインが、多くのケースで色・カタチのスタイリングを傍目には指してきた。それがイタリアデザインの一九六〇年代から一九八〇年代の黄金時代を象徴していた。

この一〇数年、デザインは色・カタチといった「小さなデザイン」ではなく、対象を地域コミュニティや経営戦略においた「大きなデザイン」の文脈で語る必要がある、との議論に移ってきた。あたかもスタイリングを重視するのが時代遅れかのようなニュアンスがあり、

そのためにイタリアデザインも劣勢に追いやられた感がある。

しかしながら、この状況には説明が必要だ。まず、前述した意味のイノベーションはデザインの範疇にある。デザインとはあるモノ・コトに意味を付与することで、この意味を付与することが意味のイノベーションであるからだ。つまり色・カタチが「単なる見た目」ではなく、それらがもつ意味を変えることを重視しているのである。

この分かりやすい例が、冒頭でも挙げた、生活雑貨メーカーのアレッシィのアンナGというワインオープナーである。ヘッドを女性の顔に、レバーをダンサーの腕に見立てたのは、機能製品からエンターテインメント製品に意味を変えたのである。これによって食卓でワインのコルクを抜く作業が周囲の人間を和ませる行為となった。

イタリアの小さなデザインは経営戦略における大きなデザインとの距離が近い、あるいは直結している。または大きなデザインを内包している。それにより、大きなデザインから小さなデザインに落とし込む段階でありがちな頭でっかちのスタイリングが生まれやすい、との悲劇を回避できる。小さなデザインと大きなデザインは同時並行に進めてこそ効果がはっきりする、と自覚しているのがイタリアの企業経営者たちである。

他方、大きなデザインの範疇に入る内容を、デザインという言葉にあてはめすぎないのも特色である。

ピエモンテ州のスローフード財団が世界的に推進するプレシディア制度や、エミリア・ロマーニャ州の乳幼児のためのレッジョ・エミリア教育は、昨今の文脈でいえば、ソーシャルデザインの範疇に入る活動である。これらがスカンジナビア諸国で生まれていたら、ソーシャルデザインという大きなデザインの括りの言葉を使っていたに違いない。しかしながらイタリアでこうした活動を推進する人たちは、ソーシャルデザインという言葉の存在を忘れていたか、知らないかのように振る舞う。

どちらもスタート時点でソーシャルイノベーションやデザインの社会への適応という考えが定着していなかったので、活動途中でソーシャルデザインという言葉を採用しなかったのだろうが、たんにその必要がなかったというだけではない。

レッジョ・エミリア教育のジュディチに「どうしてソーシャルデザインという言葉を使わないの？」と質問したら、「あら、そういう言葉があったわね。これから少し使おうかしら」と笑って答えるのだ。

国際的に流通した概念や体系に自分たちの活動をはめ込むことに強く違和感をもち、すでに流通している言葉にはめ込むのはビジネス上、不利であると認識している。自分たち自身が言葉を定義する主導権をもつことにこだわるのである。したがって小さなデザインと大きなデザインの区切りにも、あまり乗り気でない。中堅・中小企業が大企業の下請けにならず

に自立してビジネスを推し進めることによってこそ、存在感は発揮される。その第一歩は、まず自分の頭で考えた言葉をもつこと、あるいは多数の見方や解釈をもつことである、という極めて当たり前のことがここから分かる。

この点を見ても、レッジョ・エミリア教育が子どもに豊かな解釈力をもたらすことに注力しているのは、イタリアに誕生した教育アプローチらしいといえる。イタリア中堅・中小企業の強さの源泉ともいえる。私自身、乳幼児教育のアプローチと中小企業経営論がこれほどにダイレクトにつながるとは当初思っていなかった。それが私自身にとっての驚きであり、このテーマを追い続けてきて良かった、と思える瞬間でもあった。

最後の最後になり恐縮だが、本書の誕生にあたっては実に多くの方に、お世話になった。連載・書籍の企画や取材対象選択のアドバイスをくださった方たち、実際に取材に応じていただいた方たち、推敲前の段階の未整理の原稿を読んで意見をくださった方たち、画像を快く貸してくださった企業や団体の方たち、そして一冊の本に仕上げていただいた方たち、みなさんに深くお礼を申し上げたい。

二〇一九年一二月　ミラノ

安西洋之

安西洋之　あんざい・ひろゆき

モバイルクルーズ株式会社代表取締役。De-Tales Ltd.ディレクター。
日本の自動車メーカーで欧州自動車メーカーへのエンジンなどのOEM供給ビジネスを担当後、独立。1990年よりミラノと東京を拠点としたビジネスプランナーとして欧州とアジアの企業間提携の提案、商品企画や販売戦略等に多数参画している。また、2009年より海外市場攻略に役立つ異文化理解アプローチ「ローカリゼーションマップ」を考案して執筆・講演活動も行ってきたが、2017年にロベルト・ベルガンティ『突破するデザイン』の監修に関与して以降、「ローカリゼーションマップ」と「意味のイノベーション」の融合を探索中。著書に、『世界の伸びている中小・ベンチャー企業は何を考えているのか？』、『イタリアで、福島は。』（以上、クロスメディア・パブリッシング）、『ヨーロッパの目　日本の目』（日本評論社）。共著に、『デザインの次に来るもの』（クロスメディア・パブリッシング）、『「マルちゃん」はなぜメキシコの国民食になったのか？』（日経BP社）。監修に、ベルガンティ『突破するデザイン』（日経BP社）。

「メイド・イン・イタリー」はなぜ強（つよ）いのか？
——世界を魅了する〈意味〉の戦略的デザイン

2020年2月25日　初版

著　者　安西洋之
発行者　株式会社晶文社
東京都千代田区神田神保町1-11 〒101-0051
電話　03-3518-4940（代表）・4942（編集）
URL　http://www.shobunsha.co.jp
印刷・製本　中央精版印刷株式会社

ISBN978-4-7949-7172-2　Printed in Japan